CHRONIQUES DE L'EXPRESS

natures mortes

André Martin

Chroniques de L'Express
natures mortes

récits photographiques

TROIS

Cet ouvrage est publié dans la collection RUBIS.

© Éditions TROIS
2033, avenue Jessop, Laval (Québec), H7S 1X3
Tél.: (514) 663-4028, téléc.: (514) 663-1639, courrier élec.: ed3ama@contact.net

Diffusion pour le Canada:
  PROLOGUE
  1650, boul. Lionel-Bertrand, Boisbriand (Québec), J7E 4H4
  Tél.: (514) 434-0306, téléc.: (514) 434-2627

Diffusion pour la France et l'Europe:
  LIBRAIRIE DU QUÉBEC
  30, rue Gay Lussac, 75005 Paris, France
  Tél.: 43 54 49 02, téléc.: 43 54 39 15

Cet ouvrage a été publié grâce à une subvention du Conseil des Arts du Canada.

Le Conseil des Arts du Canada | The Canada Council for the Arts
depuis 1957 | since 1957

Données de catalogage avant publication (Canada)
Martin, André, 1956-
Chroniques de L'Express: natures mortes
(Rubis)
ISBN 2-920887-83-1

I. Titre.
PS8576.A765C47 1997   C843'.54   C97-941064-9
PS9576.A765C47 1997
PQ3919.2.M37C47 1997

Dépôt légal: Bibliothèque nationale du Québec
   Bibliothèque nationale du Canada
   4e trimestre 1997

Photographies et conception graphique: André Martin
Photographie de l'auteur: Sylvie Reidman

Pour S.

Comme dans une grotte merveilleuse,
je les vois tous parler et rire
mais ne les entends pas.
Francis Ponge, *Le parti pris des choses*

Dès l'instant où je découvris que le langage manquait,
je découvris le rêve des mots vrais sur fond de silence,
— comme des îles sur la mort —
Pascal Quignard, *Le nom sur le bout de la langue*

Avant-Propos

Au moment où j'écris ces lignes je ne sais toujours pas si les propriétaires du restaurant L'Express, rue Saint-Denis à Montréal, accepteront ma proposition. Il y a un mois, j'ai rencontré Monsieur Villeneuve — le fils d'Hélène Loiselle et de Lionel Villeneuve — pour lui demander de me faire manger gratuitement «oh, quelques repas seulement, le temps de passer à travers le menu». Je lui ai avoué mon intention d'écrire un livre où la carte de L'Express tiendrait lieu de sablier. Une seule combinaison d'entrée et de plat de résistance serait permise sauf pour les desserts que je pourrais reprendre à ma guise. Une fois tous les plats essayés, le livre devrait être terminé. Je lui ai expliqué mon programme: manger au restaurant et noter ce qui se passerait autour de moi, les conversations, les attitudes, les malaises, les regards, les couples qui se forment, ceux qui se défont, les secrets que je volerais sans scrupules.

Un jour m'est venue l'idée d'écrire un livre sur le bonheur, un genre de chroniques mondaines où je regarderais Montréal à travers un projet littéraire comme à travers un filtre magique qui me révélerait ma ville. Je l'aurais, tout en mangeant, à portée de la main. À L'Express, ce formidable théâtre urbain, les clients et les employés joueraient devant mes yeux, piètres figurants, la comédie de l'existence.

Puisque je n'ai pas oublié de lui dire ce que je croyais qu'il devait aimer entendre à propos de son restaurant, Monsieur Villeneuve a trouvé l'idée amusante, flatteuse sans doute. «Cher Monsieur, lui dis-je, je considère L'Express comme une institution montréalaise! Je ferai en sorte que votre restaurant devienne un véritable personnage et je le hisserai d'un cran dans la mythologie de la ville.» Je lui ai parlé d'un lancement probable dans son établissement. Il voyait déjà les journalistes affublés de leurs magnétophones portatifs s'entasser dans son bureau, les caméras grâce à moi braquées sur lui, les projecteurs éblouissants. Il lisait déjà les articles dans Le Devoir, il entendait déjà les commentaires à la radio, à la télé. De la bonne publicité, bien ciblée et gratuite.

Je l'ai ensuite questionné sur les origines de son commerce. Alors qu'ils étaient jeunes acteurs de théâtre, Monsieur Villeneuve et une copine auraient aimé pouvoir se retrouver, après les représentations et jusqu'à tard dans la nuit, dans un restaurant sympathique au menu intéressant. Montréal souffrait alors d'une carence d'endroits agréables où l'on pût bien manger. Il faut dire qu'à cette époque on ne pouvait s'attabler, passé vingt-deux heures, qu'autour d'une pizza all-dressed ou d'un poulet rôti trop cuit, on devait se contenter des hot-dogs steamés de la Main ou du sempiternel smoked-meat élégamment agrémenté d'un gros pickle sous un éclairage intransigeant de fluorescents. *La gargote poisseuse ou rien du tout. Ils ont donc décidé de créer ce lieu et, faute de capitaux, ils durent convaincre un troisième partenaire de s'associer à eux et d'investir le gros de la somme pour lancer l'affaire. Villeneuve a demandé à l'architecte Laporte de concevoir un espace genre «brasserie branchée» ou «bistro international», ni Paris ni New York, un peu des deux. «Et la formule hybride privilégiée s'est avérée gagnante, ajoutai-je désirant absolument lui plaire afin qu'il acquiesce à ma demande. Autant que le design, votre constance est aussi la marque de votre succès: celle de la table et de la clientèle comme celle du service.»*

On garde longtemps le personnel à L'Express. Les patrons ne sont pas des salauds. Demanderait-on trois mois de vacances pour se rendre en Indonésie? On dit oui, on s'arrange. Voilà pourquoi Monsieur Masson est derrière le comptoir depuis toujours comme le grand Bruno ou la jeune femme au visage recouvert de si belles taches de rousseur, celle qui travaille le midi, dans l'alcôve aux photographies.

Les murs du fond à L'Express sont tapissés de photographies encadrées dans de la loupe d'acajou. À chaque année les patrons, les serveurs, le maître d'hôtel, le chef et les gens des cuisines se font photographier tous ensemble dans la plus pure tradition théâtrale. On a ainsi la preuve, en reconnaissant d'un cliché à l'autre les mêmes visages, que L'Express est un restaurant qui sait se faire aimer de ses gens. Lorsque j'avouai à Monsieur Villeneuve que je faisais aussi de la photographie, il me dit qu'il avait eu quatre serveurs photographes. «Est-ce un métier si difficile?» me demanda-t-il.

«Si vous acceptiez, ajoutai-je, j'aimerais recueillir les confidences des gens de la maison. Il me semble logique d'imaginer que la nature et la manière de ce projet les intrigueront suffisamment pour que se tisse, avec quelques-uns du moins, une certaine complicité.» J'avais mal présenté mon plat. Devinant à son rictus son inquiétude quant aux confidences que pourraient me faire ses chers employés, j'ai dû le rassurer en lui disant que je ne m'intéressais pas aux chicanes de cuisine, oh! Pinocchio... Sentant la soupe chaude — encore une fois j'avais trop parlé — j'ai fait dévier la conversation sur un aspect plus formel de mes chroniques. J'ai rajouté, fort malhabilement d'ailleurs, que je voulais aussi y faire se côtoyer mes commentaires gastronomiques (bien que je n'aie aucune prétention de spécialiste en art culinaire, je jouerai tout de même un peu à la Kayler ou à la Blanchette; après tout certains animateurs du Club des bitches s'étaient bien permis, eux, de commenter les expositions d'art contemporain) et les comptes rendus des conversations des clients. Trois types de récits s'y retrouveraient en alternance: le récit des plats, parfumé, celui des clients, juteux, et celui, salé, relatant les rapports du narrateur avec le personnel. Les propos d'un scientifique s'y retrouveraient pris en sandwich entre le quasi de veau et l'attitude charmeuse des serveurs. Je sentais Monsieur Villeneuve de plus en plus nerveux, ce livre ne serait qu'un condensé de potins sur ses clients, ses fidèles chéris l'abandonneraient bientôt, outrés qu'un tel établissement se soit laissé entraîner dans cette aventure d'un goût douteux. Il risquerait la poursuite judiciaire et moi, devinant ses pensées, je lui ai dit que je prendrais garde de ne nommer personne, les clients aperçus dans le restaurant porteraient des noms inventés puisque L'Express deviendrait le lieu privilégié de ma fiction. Je ne voulais pas plus que lui être l'objet d'une poursuite bien que les conséquences s'avéreraient bien plus intéressantes pour moi. Au moins cette fois on parlerait de mon livre, ça ferait changement. Mes trois livres précédents étaient plutôt passés dans le beurre. Malheureusement, cette allusion malhabile, mauvais jeu de mots mais qui se voulait comique, a bel et bien jeté le doute dans son esprit. Histoire de tout sauver, je lui ai avoué que certains de mes amis, parmi ses meilleurs clients d'ailleurs, connaissaient mon désir de faire ce livre et m'avaient fait promettre de leur signaler la date et l'heure d'une des soirées où je serais en poste car ils espéraient figurer dans mes chroniques. L'incroyable vanité des gens...

* * *

J'ai peut-être tout gâché lors de cette rencontre car voilà plus d'un mois que j'attends sa réponse. Aurait-il voulu lire mes livres avant de me la donner? Je ne sais pas si je dois le rappeler, je ne voudrais pas le brusquer. Si je n'ai pas réussi à le convaincre ce ne sont certainement pas mes histoires affreuses et dégoûtantes de crimes passionnels qui traceront de moi le portrait de l'auteur équilibré et digne de confiance…

Malgré cet interminable délai, je ne peux m'empêcher de rêver que ça marche. Comme sous l'emprise d'une véritable obsession, plusieurs fois par jour je ferme les yeux et je me vois me préparer, partir le cœur battant vers mon futur lieu de travail avec mon stylo dans ma poche… Je m'y rendrai à pied et je reviendrai à pied, je n'habite pas très loin. Déjà, pendant le trajet, commencera le compte rendu de la soirée. Je parlerai de l'espace qui me sépare de L'Express, de la lumière, des gens aperçus, comme une ponctuation colorée sur le décor routinier. Un trajet, toujours le même, à la manière d'infinies variations sur une phrase. Dans ma rêverie, je me demande si les habitués, les acteurs de L'Express tous les soirs en représentation d'eux-mêmes, feront des personnages suffisamment pittoresques pour mériter d'entrer dans mon livre. Sauront-ils lancer cette belle phrase, dire le mot de passe obligatoire à leur entrée dans le récit? S'il ne se passait rien, s'il ne m'arrivait rien, j'aurais alors le choix (ou le devoir) d'avouer tout simplement qu'il ne s'est rien passé, de dénoncer la platitude de la vie de ces gens-là, de ma vie à moi ou encore d'inventer des choses. Imaginer leurs conversations, mentir. Seuls les passages à travers le menu, délai absolu pour prendre mes notes, seraient dignes de foi.

Et si ça ne marche pas, si Monsieur Villeneuve refuse, je saurai bien me venger et lui faire payer en déshonneur ce qu'il a voulu économiser sur mon dos. Il verra de quel bois je me chauffe. Je m'installerai devant son restaurant, beau temps mauvais temps, avec une table de camping et une chaise pliante. J'apporterai mon lunch et je m'assoirai devant la grande fenêtre, sur le trottoir. Non, directement sur les tuiles chauffantes; rien de trop beau pour la classe ouvrière! Pendant quinze jours, je regarderai depuis la rue ce qui se passe à l'intérieur en mangeant des sandwiches aux tomates et des branches de céleri. Les soirées se trouveront aplaties par la vitre, cadrées par la fenestration, comme s'il s'agissait d'un film, d'une photographie. Les passants s'arrêteront, me demanderont des explications et je raconterai la mesquinerie de L'Express, ce restaurant de snobs. Comme je serai devenu une bête de cirque, l'écrivain fou de la rue Saint-Denis, je serai obligatoirement récupéré par les médias et on parlera enfin de moi. Les attroupements de curieux deviendront bientôt inconvenants et Villeneuve aura tôt fait de téléphoner aux policiers pour me faire emprisonner. Mais qu'à cela ne tienne. Foutu en tôle par un propriétaire grippe-sou, j'écrirai envers et contre tous les chroniques de ma détention.

* * *

L'autre soir, avec des amis, nous avons décidé d'aller prendre le dessert à L'Express. J'avais une envie folle de leurs îles flottantes et il me plaisait de revoir l'endroit qui allait peut-être devenir mon prochain lieu de travail. Les clients attendaient, entassés depuis le bar jusqu'au fond du restaurant ce soir-là aussi bruyant et achalandé que d'habitude. L'atmosphère Express une autre fois se trouvait recréée. Il me semblait qu'on avait disposé les tables différemment. Elles m'apparaissaient encore plus rapprochées les unes des autres. Mes voisins pourraient très facilement lire ce que j'écrirais sur eux. Je sais bien que la promiscuité organisée de ce type de restaurant empêche toute véritable intimité; chaque regard peut être intercepté par les clients voisins, le bruit de fond protège les conversations. Si on ne veut pas croire au pouvoir d'écran de la rumeur et de la foule on peut toujours censurer ses propos mais je saurais bien lever les voiles, je m'appliquerais à bien entendre, à bien regarder. Mon projet tout entier graviterait autour de cette attitude particulière. Or, je m'étais toujours imaginé en espion invisible, comme si j'assistais à une projection cinématographique. J'ai compris ce soir-là, une fois sur les lieux véritables en attendant qu'une table se libère, que je ferais partie du décor. Je deviendrais un des acteurs de ces soirées boulimiques, l'auteur vulnérable, prisonnier au centre de ses personnages. Je devrais composer avec la réalité. Un client perspicace aurait vite surpris mon manège. Il se pourrait même qu'il devienne agressif. Jusqu'où cela irait-il? Une gifle peut-être; la honte, inévitablement. Voilà que tout cela m'effrayait. J'avais la gorge sèche, l'estomac noué, j'étais terrorisé par ma propre entreprise.

Ce soir-là je n'ai pas mangé mes îles flottantes à L'Express. J'ai convaincu mes amis de la douceur des glaces de chez Roberto.

MARDI 18 OCTOBRE

6 huîtres
Riesling
Aiguillettes de canard sur sa petite salade de saison
Haute Côte de Nuit
Pouligny Saint-Pierre, noix

Ça y est, je commence aujourd'hui. Il y a deux semaines, le propriétaire de *L'Express* m'a présenté à Christian, le maître d'hôtel. À part Monsieur Villeneuve, c'est le seul qui soit dans le coup. Christian saura me placer, il me facilitera les choses. Il verra surtout à ce que le personnel ne s'attarde pas trop longtemps à ma table, il ne faudrait pas leur donner la moindre possibilité de me faire des confidences. Ce jour-là, en avance pour le rencontrer, je m'assois au bar pour boire un Perrier en attendant l'heure de notre rendez-vous. Je me suis installé près du bouquet de lis *Casablanca*; leur parfum, trop fort pour des fleurs d'un blanc aussi pur, me donne un peu la nausée. C'est mal parti. Le téléphone sonne et une blonde répond. On veut parler à un certain Félix. Félix se trouve être le joli waiter qui s'apprête à manger au bar, avant que les clients du soir ne commencent à arriver. La femme blonde, le visage durci comme un masque de guerre, lui passe la communication en disant: «Tiens Félix, c'est pour toi, c'est la police!» Et elle reste là, appuyée au comptoir en le fixant de son gros œil méchant. Félix prend l'appareil en l'échappant comme s'il lui brûlait les doigts et répond après un long silence: «Oui, j'ai terminé mais j'allais commencer à manger. (...) Non, je ne sais pas, je ne suis pas au courant. (...) Écoutez, c'est difficile de parler ici.» Je n'en saurai pas davantage et cet interlocuteur, nommé police par sa collègue, m'intrigue. S'agit-il de la direction (encore le patron et ses vérifications), de la personne que Félix aime (allo chéri je t'aime quand termines-tu?) ou s'agirait-il plutôt de la véritable police. En ce cas, il se passerait à *L'Express* des choses suspectes. L'établissement serait une façade. Serait-ce un poste de blanchiment d'argent, le cœur d'un trafic de drogue ou le dépôt tant recherché dans l'affaire du marché noir du fromage de lait cru? Je devrai m'arranger pour faire connaissance avec la femme blonde le plus tôt possible afin de lui soutirer certaines informations sans qu'elle ne s'en rende compte. Tout cela m'excite et il me tarde d'entreprendre ce foutu travail pour lequel j'attends depuis si longtemps.

J'ai attendu que Monsieur Villeneuve me dise oui, j'ai attendu la fin de l'été car, comme le disait Monsieur

Villeneuve, «il ne faut pas lever le nez sur les clients mais tout de même, l'été, ce ne sont que des touristes...», j'ai attendu encore jusqu'à octobre, jusqu'à mon retour de Paris où j'ai eu une exposition au *Sous-sol,* une galerie d'art contemporain du Marais. Modestes, mes débuts parisiens...

Ce soir je commence et j'espère que tout se passera bien. Je n'ai pu joindre Christian car il n'était pas là au moment où j'ai réservé ma place. Il arrive vers dix-huit heures. Je ne peux donc obtenir cette place près des fenêtres qui m'aurait permis de voir entrer les gens. Afin de ne pas être repéré par les clients, ce que je crains depuis le soir des îles flottantes, je prendrai le livre de Gloria Escomel et pourrai toujours faire semblant de le lire si j'ai peur d'être découvert. La lecture donne une certaine contenance aux mangeurs solitaires et je compte bien me cacher derrière *Les eaux de la mémoire.* Je porterai un tricot Verri et un pantalon de velours, histoire de passer inaperçu. Lorsque je me sentirai maître de la situation, à l'aise dans mon rôle d'espion, je porterai des vêtements plus voyants, je pourrai alors prendre ce genre de risques.

Comme il n'y a pas de table libre lorsque j'arrive, je m'assois au comptoir, loin cette fois du sempiternel bouquet de lis, et je commande un verre de bordeaux. Par le truchement des miroirs qui tapissent le mur derrière le bar, je peux repérer cette femme de théâtre qui revient des Indes où elle a appris à dessiner. Mademoiselle Larenverse porte autour du cou un grand foulard de shantung de soie tomate sur une veste d'homme gris anthracite, informe, je crois qu'il faut dire déstructurée, genre *Comme des garçons*. À moins que ce ne soit un vêtement usagé, *vous savez j'a-do-re aller fouiner dans les friperies c'est tellement plus sym-pa-thi-que...* On présente actuellement ses œuvres dans une galerie de la rue Sherbrooke «Ouest». Je n'y suis pas allé, un peu jaloux sans doute de ce qu'elle puisse déjà exposer dans une galerie commerciale de cette rue prestigieuse. Je me dis que ce livre pourrait devenir le lieu de mes petites vengeances, un exutoire pour mes frustrations. Je pourrais insinuer qu'une personne richissime de ses relations y est pour quelque chose, car quand même, six petits mois aux Indes alors que je travaille, moi, depuis quinze ans et aucune galerie ne me représente... Je pourrais le dire mais à quoi bon. Ce qui m'intéresse soudainement, c'est l'apparition des questions d'éthique, de morale, la séduction de la mesquinerie, de la férocité, la décision de la révélation, tout cela mélangé. Questions que doivent se poser quotidiennement les journalistes mais que je découvre dans toute leur perverse confusion cinq minutes après mon arrivée.

En même temps qu'une table se libère, une jeune femme aux lulus ridicules s'approche du bar pour passer un coup de fil. Je la reconnais, c'est celle-là même qui assistait Pierre Bourgeau il y a quelques années à la radio. Marie-Chantal Bazou, elle s'appelle. Elle m'avait reçu vêtue d'un bustier bien rempli un samedi après-midi dans les sous-sols de la tour. Une fille qui veut se faire remarquer m'étais-je dit, pas même capable de mettre les interviewés à l'aise et condescendante comme tout. Une fille genre moi, moi, et moi. J'ai horreur des égocentriques. Je me souviens que Pierre Bourgeau m'avait présenté aux auditeurs comme le «jeune poulain» du directeur, expression suspecte que je lui avais pourtant demandé de ne pas utiliser.

Lorsqu'on m'accompagne à ma table, j'ai le choix de m'asseoir de manière à avoir la fille aux lulus dans mon champ de vision et ainsi faire face au fond du restaurant ou, au contraire, à lui tourner le dos et regarder dans la direction de la rue. Je choisis d'observer les gens entrer, cela m'évitera le risque du potinage que j'exècre. Après avoir reçu le menu, mort de curiosité, je me lève pour aller aux toilettes bien que je n'aie pas réellement envie et je traverse la salle en regardant tout le monde. Je flaire la vedette. Je remarque en passant les amies de la fille aux lulus. Je reconnais cette comédienne, Merveille Thibault, élégantissime dans ses leggings noirs, son overshirt de jersey noir et une large écharpe rouge, presque une couverture, dans laquelle elle se drape avantageusement. Décidément, il y a un style stendhalien à Montréal. Tout va bien me dis-je, il y a plein de gens connus, je n'en espérais pas tant le premier soir. Je commande les huîtres et les aiguillettes de canard. J'ai une faim de loup.

Les gens entrent et sortent, Jim Cormoran dessous un béret, Jean-Claude Marchand le doyen-architecte-urbaniste-membre d'Héritage Montréal qui, étrangement, ne s'assoit pas avec mademoiselle Larenverse, un type qui ressemble à Hervé Brisseau — je ne sais même pas s'il vit toujours, il y a si longtemps qu'on n'a pas entendu parler de lui... Finalement, il y a trop de personnalités dans ce restaurant, vivement que l'on m'apporte mes huîtres et mon verre de riesling. On les sert en couronne sur de la glace pilée avec un demi-citron dentelé placé au centre des coquilles.

J'adore les huîtres, mais depuis peu. Pendant très longtemps j'ai conservé de l'enfance un profond dégoût pour les huîtres que j'acceptais de manger façon Rockefeller ou fumées, à la limite. Mes parents qui en raffolaient les achetaient en poches de jute directement d'un pêcheur du Nouveau-Brunswick. Il venait dans son chalutier jusqu'au quai de Rimouski vendre ses huîtres aux Casgrain, aux Brillant, aux Drapeau, et à notre famille. Mon père s'installait au-dessus d'une planche de bois dur avec un couteau au manche en forme de poire et à la lame arrondie, la poche d'huîtres à ses pieds. Il les ouvraient prudemment en insérant la pointe du couteau dans la partie aiguë du coquillage avec un mouvement oscillatoire puis tirait vers lui en soulevant la lame. Voilà la manière de faire avec les huîtres de première qualité, les *Fancy* ou les *Malpeque*. Pour les autres, moins chères et à la coquille plus mince, il faisait pénétrer la pointe du couteau par le côté. Je me souviens qu'une fois la lame avait glissé et le couteau s'était logé dans le gras de sa main. Le sang dans la morve d'huître et la boue, bien que répugnants, m'avaient laissé plutôt indifférent et peut-être même étais-je heureux que mon père se soit blessé. Le véritable dégoût venait de la manière qu'avaient mes parents de manger les huîtres. Mon père remplissait de grands verres de la chair des mollusques. J'entends encore le couteau grattant le muscle adducteur attaché à la nacre tentant de détacher la masse informe, le bruit mouillé de l'huître tombant dans le verre bientôt rempli de glue verdâtre. Sans même ajouter de jus de citron, mes parents buvaient les huîtres au verre, avec une voracité sexuelle et impudique.

Pendant que je mange mes huîtres on place deux hommes à la table voisine. Deux anglophones, hyper-conservateurs. Je n'ai pas de chance. Je n'aurai donc que ce couple à épier puisque je suis sur le bord d'une allée (mauvais, toujours s'asseoir entre *deux* tables, comme ça, si les voisins ne sont pas intéressants, il y a toujours une deuxième chance pour qu'il se passe quelque chose de l'autre côté). J'apprends que mon voisin est un professeur de l'université McGill. Il affirme d'une voix sentencieuse: «Money has nothing to do with it.» Ça promet... Il porte une cravate aux motifs cachemires vert, marine et jaune sur fond grenat, une chevalière d'or à son monogramme et une montre Baume & Mercier. Sa montre me rappelle celle d'Andrew, un garçon rencontré il y a plusieurs années. Il marchait dans la rue Prince-Arthur en direction de l'université McGill où il faisait des études japonaises et nous nous sommes croisés. Je l'ai suivi jusqu'aux résidences des étudiants, celles qui jouxtent la petite chapelle du campus. Nous nous sommes vus pendant quelques semaines et il est parti pour Osaka. Je me souviens de son immense tendresse, de son regard agrandi par l'intelligence et clair comme les céladons. Lors de notre dernière rencontre, il m'a offert sa montre Baume & Mercier. À l'acide de ma peau, ma grand-mère était rousse, l'or s'est terni. Ce devait être une copie.

Le repas avançant, la nappe de papier est recouverte progressivement de bouts de phrases, de mots écrits à la hâte, griffonnés. Ça intrigue le garçon, il me regarde d'une façon bizarre. On écrit souvent sur les nappes mais généralement il s'agit d'un mot, de quelques phrases, d'un dessin, d'une esquisse et la plupart du temps c'est pour expliquer quelque chose à son convive, mais rarement une personne seule écrira d'abondance comme je le fais. Tout le côté droit de la nappe est déjà entièrement occupé, recouvert de signes bleus délimitant un arc, un croissant autour de mon assiette. Ma verve soudaine empiète peu à peu sur l'espace total de la nappe. Je pense faire des tableaux avec le papier carré. On dirait un Cy Twombly ou un Louise Robert. J'aimerais prendre des photographies de ma nappe, la recouvrir d'encaustique, la sceller avec de la cire. Parfois il y aurait, dessous, les taches de vin, un peu de moutarde ou de sauce qui animeraient la surface, autant d'indices, de preuves. On pourrait lire, sous la couche épaisse de cire d'abeille, les notes d'une soirée comme le tableau d'un trajet, d'une solitude. On pourrait même dire en parlant de cette série: des autoportraits.

On m'apporte maintenant mon deuxième plat, les aiguillettes de canard. Elles sont présentées en éventail sur un lit de jeunes pousses de chêne et de poirée, ces espèces de petites feuilles de bette. Pour les pousses, je dois demander au garçon car je n'en ai jamais vues. Je m'empresse d'écrire sur la nappe le nom de la salade, attirant son attention sur ma délinquance. Les queues de poirée flottent au-dessus du vert des feuilles et rappellent par leur teinte vive et rouge les antennes des écrevisses. On a décoré le canard avec une simple fleur de capucine. Mon père appelait capucines les câpres que l'on mangeait avec le saumon fumé. Enfant, j'avais honte de lui lorsqu'il disait ça. Depuis, j'ai appris que sa mère, Virginie la rousse, faisait une marinade des boutons de capucine au goût et à l'apparence très proches, semble-t-il, de ceux des câpres. J'apprécie maintenant cette dénomination simple et poétique. Les dix tranches très fines de viande cachent une sauce rosée, mayonnaise de poivrons ou sauce cardinal. Je reprends un verre de Haute Côte de Nuit. Je suis ravi. C'est très bon et je pense que je mangerai ainsi, sans payer, quinze fois. Il s'agit d'un plaisir très particulier. Comme tout le monde ou à peu près, manger au restaurant est une fête, un luxe que je m'offre de temps à autre et, même si je n'aime pas l'avouer, arrive toujours le moment, lors du choix du menu, où survient la question du prix. Je dois admettre que parfois je suis chiche; je coupe dans les desserts ou dans le vin. Payer laisse flotter comme un nuage sur le repas. Et, lorsqu'on m'invite, et là je suis très chanceux d'avoir plusieurs de mes amis avocats ou architectes qui m'invitent souvent, une autre gène survient. Car même lors de ces repas auxquels je suis convié, et bien que je ne paie pas, je suis préoccupé par la question de l'argent. Je me dis que je ne pourrai jamais rendre la pareille, ou que, les recevant, on trouvera à redire. On a déjà lancé que je ne servais que des côtelettes de porc avec du gros rouge, moi qui veux, par ces menus simples, recréer les repas de famille. Pour ce travail, je mange en égoïste, sans compter, sans avoir à me soucier d'un quelconque retour, je m'empiffre et je m'amuse. Je crois que c'est le projet le plus amusant que je n'ai jamais eu, à la fois bourratif et enivrant. D'ailleurs, en plus des activités qu'il engendrera, par exemple aller voir l'exposition de mademoiselle Larenverse, il me procurera le plaisir d'espionner, d'écrire et amènera le goût du lendemain, un certain goût de vivre. Déjà le plaisir de la table glisse vers un plaisir plus ample, celui de l'écriture, de la vie. Et je n'ai même pas encore commencé que me voilà emballé. Serait-ce le vin, déjà l'ivresse! Je me demande si je pourrai rendre, dans mon compte rendu, l'effet de la progression de l'ivresse. Peut-être qu'une fois assis devant mon ordinateur, tout cela m'apparaîtra bien fade, peut-être que je ne saurai convaincre du plaisir que j'y prends. Il faudra traduire l'ivresse légère par des phrases sans verbe qui tomberont mollement, des idées mouvantes qui se transformeront sans raison, sans finalité, des idées errantes. Il faudra un travail particulier de la ponctuation. Je me demande également si l'alcool me donnera un jour le courage de parler avec mes voisins. Sans doute un soir où je serai plus fatigué, où leur curiosité sera trop forte, je dévoilerai mon secret. Comment réagira-t-on! Oh! et puis on verra, dans le temps comme dans le temps.

Maintenant, il faudrait bien que j'écoute ce que mes voisins disent mais ils parlent en anglais et, pour bien comprendre, je devrais prêter une attention particulière qui me trahirait. Je ne parviens à saisir que des bribes de phrases: «Money has nothing to do with it...» «It's a very secure place» (le pauvre s'il savait...) «...two solitaires» (il doit s'agir bien sûr de deux diamants, deux gros brillants qu'il offrira à sa femme ou encore à sa maîtresse). Je remarque que la sensibilité auditive ne fonctionne au maximum que dans l'axe des oreilles. Je peux entendre ce que deux autres hommes d'affaires se disent à la table à côté de mes voisins, sur ma gauche, mais je ne perçois absolument rien des tables devant moi — quatre femmes comme mes tantes, je connais leur genre de conversation — pourtant dans le même périmètre que les voisins de mes voisins de gauche. Comme s'il fallait choisir entre entendre ou voir. Voilà qui risque de devenir une aventure d'infirme. Alors que mes voisins anglophones ne parlent jamais d'eux directement, j'entends leurs voisins francophones, sans doute des entrepreneurs: «...Si y font pas la job, ce sera 1/3 - 2/3. Chu dans vot' gang les gars!»... et puis plus tard en parlant de son fils et après une bouteille: «J'aimerais donc ça pouvoir y dire: chu un modèle pour toé, r'garde, j'ai réussi!» pendant que son copain se mord l'intérieur de la main.

On m'apporte maintenant la carte des desserts. Je choisi un fromage qui me semble suspect, le Pouligny Saint-Pierre. En effet, il s'agit bien d'un fromage de lait cru. On le sert avec des noix fraîches mais malheureusement il est trop froid. Les fromages interdits sont annoncés sur de petits papiers coincés dans le liseré du menu. Comme ça ils ne laissent pas la trace compromettante de l'imprimé, on pourrait les arracher à la dernière minute si un inspecteur venait à passer.

Finalement, après avoir reçu l'addition, je tends une carte de crédit et le garçon repart vers la caisse, au fond du restaurant, près des cuisines. Il revient moins d'une minute plus tard, me tend la carte en me disant qu'elle est périmée. Mince, qu'elle manque de chance, déjà qu'il me trouvait bizarre avec ma nappe remplie de notations. Devrai-je promettre de revenir le lendemain pour le payer et tout lui avouer, rompre dès le premier jour le pacte signé avec la direction? Sous le regard impatient du garçon je cherche, sans vraiment espérer trouver, une autre carte au fond de la poche de mon pantalon. Chose certaine, je ne pourrai jamais plus m'asseoir dans sa section. Si je pouvais au moins connaître son nom, je demanderais à Christian de me réserver une table à l'autre bout du restaurant, loin de son périmètre, dans l'espace réservé aux fumeurs. Heureusement, je trouve une autre carte dans mon blouson, il est parfois utile d'être désordre.

Pendant que l'on dessert ma table, je remarque un couple d'amoureux assis au bar, à l'endroit même où j'étais en arrivant. La jeune femme doit être musicienne, violoniste ou, mieux encore, violiste car elle s'est accoutrée, pour sortir, d'un truc jaunasse, avec cette maladresse propre aux gens de musique ancienne, un peu bas de laine et tunique indienne. Cette jeune femme semble complètement amoureuse de son copain, elle le fixe en le mangeant des yeux sans aucune pudeur, avec cet abandon révélateur des premiers jours d'amour. Elle a dû sentir mon regard sur eux car elle se retourne, me regarde la regarder. Mon indiscrétion lui apporte une nouvelle preuve de son amour, une preuve irréfutable car partagée avec un inconnu. Elle me sourit. Elle passe ses mains dans la chevelure de l'homme, l'écoute parler sans vraiment comprendre, tout absorbée par son désir de lui. On sent la fièvre de la joie pure et je me dis que mon récit réussira malgré tout à en être un sur le bonheur. Ce livre comme un témoignage sur l'amour, comme de l'oxygène, comme une transfusion. Je serai assis en bordure, en exergue à la soirée, en marge du bonheur des autres et j'en inscrirai la trace sur le papier.

Je plie la nappe en seize et quitte le restaurant heureux d'avoir vu le bonheur. Il se trouvait là où j'espérais le trouver, devant le bar d'acier de *L'Express*. Il portait un imperméable safran, de la couleur des feuilles mortes.

Je me suis installé près du bouquet de lis Casablanca… (p.1)

LUNDI 24 OCTOBRE

Œuf en gelée
Rôti de bœuf et frites
Côte de Castillon
Gâteau au chocolat

Je me sens un peu moche aujourd'hui. Je pars sans vraiment m'être préparé. Il fait gris, ça sent les feuilles qui pourrissent, l'air est frisquet. Je prends la rue Prince-Arthur en sortant de chez moi. À l'est de Saint-Laurent, alors que la rue devient piétonne, un vieux peintre en bâtiment tente de redresser une très longue échelle d'aluminium. Une bicyclette tombée au milieu de la chaussée embarrasse ses mouvements. Il me demande de soulever le vélo et de le lui apporter. Il veut rentrer chez lui et se sert de sa bicyclette comme brouette. Il place l'échelle en équilibre sur le guidon et sur la selle. L'homme ne me remercie pas, traverse le boulevard Saint-Laurent et disparaît à droite, dans la première ruelle. Plus loin, j'aperçois la femme à l'harmonica, toujours à son poste à l'intersection des rues Hôtel-de-Ville et Prince-Arthur. Tous les soirs depuis dix ans, cette femme sans âge, maigre, grise comme la pierre de Montréal, folle sans doute, joue de son pauvre harmonica de trois sous en expirant puis en inspirant dans son appareil, sans répit et avec une opiniâtreté obsessionnelle. Elle doit sûrement avoir les lèvres toutes recouvertes de corne sèche à le faire aussi frénétiquement glisser de gauche à droite, de droite à gauche. Aucune mélodie n'est émise, qu'un glissando de sons ascendants et descendants. On passe à côté d'elle sans la regarder, agacés par ces sons exécrables. On voudrait seulement qu'elle arrête de souffler dans son maudit harmonica de fer-blanc. Cette femme n'attire ni pitié, ni tendresse. Elle fait désormais partie de la rue et on ne la remarque même plus. Je n'ai jamais vu personne lui donner quelque argent. Sa musique accablante et triste s'accorde parfaitement avec notre indifférence.

J'arrive bientôt au carré Saint-Louis et j'aperçois mademoiselle Larenverse qui promène son chien, une espèce de bichon noir, dans la rue qui borde le côté sud du square. Mademoiselle Larenverse a l'air triste elle aussi, cela me la rend un peu plus sympathique. Elle marche très lentement, les épaules par derrière, légèrement désaxée comme une tour de Pise. Sa robe noire fait à chaque pas un joli mouvement, la mélancolie s'est installée jusque dans ses jupes, et je la vois entrer dans l'immeuble qu'habite Michel Tremblay. Jusqu'ici, je ne l'avais jamais rencontrée dans mon quartier et voilà qu'à chaque fois que je sors pour mes chroniques, je la vois, elle est là. On dirait qu'elle se met sur mon chemin pour figurer dans mon histoire. Elle insiste, elle s'obstine. Mais quel rôle lui faire tenir... Tiens, il commence à pleuvoir.

Je me dépêche mais j'arrive tout de même à *L'Express* mouillé de la tête aux pieds. Christian travaille aujourd'hui. Il me demande ce que j'écoute en me voyant ranger mon baladeur dans la poche de mon imper. Je devrais mentir car j'ai un peu honte mais je lui dis quand même la vérité. «J'écoute *Les parapluies de Cherbourg* Monsieur Christian et ne riez pas.» Je voulais changer d'humeur. En vain. Il me conduit à une table et me demande de choisir de quel côté je désire m'asseoir ce soir. Ça n'a pas grande importance aujourd'hui.

Je commande un verre de Côte de Castillon en espérant que le vin soit plus efficace que la musique de Michel Legrand et la voix de Mathé Altéry. Pendant que j'explore le menu voilà qu'arrive mademoiselle Larenverse. Encore elle. Sa coiffure est moins réussie que la première fois, ce doit être la pluie. Cette fois, elle porte un chemisier rouge chinois. Il faut bien dire que le rouge lui sied, avec ce teint diaphane comme du papier de soie, comme de la balsamine. Ainsi triste et pâle, mademoiselle Larenverse est particulièrement belle. Je voudrais manger avec elle, il me semble que nos solitudes nous pèsent pareillement. On ne se parlerait pas, on serait là, ensemble, dans notre ennui commun. Peut-être me tendrait-elle sa fourchette pour que je goûte à son plat. Quelques femmes viendraient la saluer pendant la soirée, son fan club sans doute. Pour elles, elle leur décrocherait un de ses célèbres sourires laissant voir une dentition parfaite, un sourire absolument communicatif, convaincant, irrésistible. L'autre soir je détestais la peintre hindoue, aujourd'hui j'adorerais l'actrice.

Je n'ai pas vraiment faim ce soir et je ne veux pas gâcher un de mes repas ici en choisissant ce dont je me régalerais une autre fois. Plutôt que de prendre le saumon à l'oseille ou l'agneau au romarin qui me tentent depuis le début, je choisis des choses que je n'aime pas trop sachant que de toute façon je ne les apprécierai probablement pas. Je commande un œuf en gelée décoré d'un brin d'estragon. Je le coupe avec ma fourchette et je m'aperçois que le jaune coule. Je n'aime pas les œufs; les œufs froids qui coulent me dégoûtent encore plus. Je tente toutefois de le manger avec des cornichons, les célèbres cornichons de *L'Express*, mais je ne peux pas, c'est au-dessus de mes forces, ça me lève le cœur. Finalement je ne mange que la gelée et la portion d'albumine non contaminée par le répugnant liquide jaune. Heureusement que je ne paie pas.

Une jeune mère anglophone se tient à ma droite et mange avec sa fille, une enfant aux cheveux blonds retenus par un large ruban de moire noire et vêtue d'une robe de velours bourgogne au col de dentelle de coton écru. Une vraie petite fille du catalogue de Noël de *Simpsons*. Ce ne sera pas avec elles que je pourrai trouver matière à écrire, elles ne se parlent pas. Viennent s'asseoir à ma gauche deux hommes dans la quarantaine. L'un deux, particulièrement élégant, m'intéresse immédiatement. Il porte un polo de cachemire beige, des lunettes d'écaille, ses cheveux bouclés sont blonds avec des mèches blanches. J'aimerais lui ressembler à son âge. Il commande un potage campagnard, du saumon grillé et une bouteille de Meursault, un de mes bourgognes préférés. Je regrette encore plus mon œuf en gelée et mon assiette de rôti froid qui arrive justement.

Les frites sont croustillantes comme on sait merveilleusement les préparer ici et la mayonnaise est coupée de moutarde ce qui lui donne du caractère. Le rôti est bien saignant. Que dire de plus sinon que c'est digeste et honnête. Cette fois, je veux comprendre ce que disent mes voisins, je me moque s'ils se rendent compte de mon indiscrétion, même ça m'est égal, même cela me plairait... Mademoiselle Larenverse me regarde de côté et je me demande si elle a lu dans mes pensées. Manger seul au restaurant nous oblige à se faire des histoires et à inventer un peu les pensées des autres en croyant les avoir vraiment devinées.

Mes voisins travaillent dans le cinéma. Ils connaissent Tarantino. Le type à côté de moi demande à l'homme blond s'il est satisfait de l'appartement qu'on a mis à sa disposition. Mon voisin de biais lui répond que c'est parfait. «It just needs a little life.» J'irais volontiers lui porter des bouquets d'anémones, de renoncules, de statices, des bouquets de fleurs aux pétales de papier. Je lui parlerais de ma passion pour le papier, je l'inviterais à venir chez moi voir mes cartables, j'en extrairais des *favolette* éditées à Florence du temps où elle s'appelait Fiorenza. Leur papier est moucheté de taches de rousseur incrustées par des siècles d'humidité. L'homme raconte à son copain un récent voyage en Italie. Il lui parle de la luminosité particulière d'une *Annonciation* de Giotto découverte au hasard d'une promenade dans Padoue, d'un petit portrait de Mantegna représentant un membre de la famille des Gonzague de Mantoue, un profil de jeune homme portant une toque molle, de l'irradiance de son humanité. Il lui parle de Sienne, de Rome, de la dégénérescence de la ferveur religieuse de Michel-Ange à la fin de sa vie alors qu'il travaillait à des esquisses d'*ignudi* aux corps confondus, douloureux et pathétiques, comme s'il avait perdu en même temps sa foi en Dieu et celle dans les valeurs transcendantes de la beauté masculine. Il lui parle également d'un petit vin blanc de San Geminiano, d'une polenta aussi légère qu'une omelette, bref, de ce que j'aime et de ceux que j'admire. Son interlocuteur, muet depuis vingt minutes, écoute à peine, ne relève rien, il est bien évident que cette conversation l'ennuie alors que je bois ses paroles et il ne le sait même pas. Que peut faire un homme comme lui dans le monde du cinéma... *Art Director?* Je n'en sais rien. Mon expérience du cinéma se limite à mettre du chlore dans la piscine de Marie-France Pisier alors qu'elle participait au tournage d'un film de Vadim et à un peu de figuration dans *Lilies* et dans *Amoureuse* aux côtés de Charlotte Gainsbourg. Il faut que je demande à Sylvie, ma copine qui travaille au studio B de l'ONF, quels sont les films de langue anglaise en tournage à Montréal. Il faudra téléphoner à la compagnie de production, décrire mon voisin. Leur expliquer mes chroniques, prétendre qu'il s'agit d'une entrevue, les convaincre de me donner son nom et peut-être son adresse, du moins son numéro de téléphone. Transformer ce projet de livre en agence de rencontres? Pourquoi pas... Car ce type, comme ça arrive parfois, mais si rarement, semble taillé sur mesure pour moi. Voilà sûrement une de ces rencontres singulières qui, bien que fugaces, laissent une marque indélébile. Sous ses lunettes d'écaille il me regarde parfois, un peu en cachette de son copain. Nous espérons que l'autre entame la conversation. Nous sommes timides.

Mon dessert arrive en même temps que le leur. Il a demandé une glace au citron et moi un gâteau au chocolat composé d'une génoise très fine et d'une crème au chocolat très lourde, trop forte en jaunes d'œuf et qui, si elle n'était pas si froide, devrait coller au palais, le recouvrir, l'envahir. Mon voisin a finalement trouvé un prétexte pour me parler. Il considère mon gâteau avec convoitise, comme il a l'air bon, un bien meilleur choix que son sorbet. Il me regarde droit dans les yeux avec un fond d'œil complice et rieur espérant que je reprenne la conversation. Peut-être désire-t-il savoir, comme les gens du restaurant, ce que j'écris sur ma nappe. Pourtant je n'ai presque rien noté aujourd'hui... Au lieu de lui tendre ma fourchette comme je le rêvais plus tôt de la part de mademoiselle, je fais la moue, je lui réponds un peu pincé qu'ici les fromages et les desserts sont malheureusement servis trop froids, que c'est dommage, que ça éteint leur parfum, que ça transforme la texture de la crème en la durcissant. Je bégaie cette énumération qui n'appelle rien d'autre et ensuite, confus, je plonge dans mon gâteau sans plus le regarder. Ma chance est passée pour toujours, mon nouvel ami, perdu.

Il n'y a plus de raison désormais de rester ici. Je demande l'addition, mais on ne dessert pas ma table et je dois, pour récupérer ma nappe, tasser moi-même tous les éléments, la salière, la poivrière, le cendrier, l'assiette sous le regard surpris des autres clients. La direction, trouvant que je mange déjà trop cher, interdit aux garçons de m'aider. Ils veulent m'humilier pour que j'abandonne. Ils me forcent à manger des œufs crus. Jusqu'où iront-il lorsqu'ils comprendront que je poursuivrai coûte que coûte? Toujours pincé, je parviens à plier la nappe avec naturel — pas si facile à faire — la glisse dans mon imper, attends le retour de ma carte et me sauve. Comme dernier recours, je cherche des yeux mademoiselle Larenverse, espérant un sourire réconfortant mais elle a déjà quitté.

Sur le chemin de retour, j'entre dans le hall de l'immeuble de Michel Tremblay et je cherche le nom de mademoiselle Larenverse sur les boîtes postales pour vérifier si elle y habite. Son nom n'y figure pas, j'en déduis qu'elle vit ailleurs. Il se peut bien que j'aie eu la berlue.

J'ai proposé à deux amis de venir avec moi manger à L'Express. Un dîner hors chroniques. Comme ce sont des habitués ils connaissent Monsieur Masson, Stéphane, Nicolas, Christian, la femme blonde, Thierry, Jean-Louis et ils me présenteront à eux. Grâce à cette introduction, je pourrai peut-être me lier avec certains membres du personnel et obtenir leurs confidences. Le dîner s'organise et Sylvie, notre amie sexologue du studio B français de l'ONF, se joint à nous.

À dix-sept heures, je téléphone au restaurant mais malheureusement tout est déjà réservé, impossible de manger avant vingt-deux heures et demie, ce qui ne nous convient pas. Comme tout le monde s'est libéré pour moi, je me sens obligé de proposer quelque chose d'autre, même si je n'en tire aucun avantage. Nous nous donnons rendez-vous au Il Sole, le nouveau «where to be seen» du boulevard Saint-Laurent où l'on fait de délicieux gnocchi Vesuvio.

J'apprends tout de même qu'un de mes amis a un jour invité Sylvie, la sexologue célibataire, à dîner à L'Express afin de lui présenter Stéphane, un des garçons. Finalement ça n'a pas marché, Stéphane n'était pas son genre malgré sa bonne bouille de Bourbon. Je profite de sa présence pour lui parler de mon beau directeur artistique et elle promet de m'envoyer des photocopies du magazine Qui fait quoi où l'on parle des films qui se tournent en ce moment à Montréal. Deux jours plus tard je reçois les photocopies et je déduis que mon voisin aux cheveux beurre et sel travaille sur un film anglo-canadien: The Great Whale. Je téléphonerai demain à Cinéflix, la compagnie de production.

DIMANCHE 6 NOVEMBRE

Pieuvre et lentilles
Château Vieux Saint-Martin
Foie de veau à l'estragon
Côte Fleurie
Saint-Basile
Dessert glacé aux poires et aux framboises

Il vente à décorner les bœufs. La bourrasque s'engouffre dans mon imper (Hugo Boss) et me pousse vers la gauche, vers l'arrière, il bruine, impossible d'ouvrir mon parapluie. Je marche vers le restaurant comme une embarcation à la dérive sur un cours d'eau impétueux.

Christian me place tout au fond, dans la section fumeurs. Mes voisins de droite sont délibérément gais, cheveux oxygénés, boucles d'oreille, vêtements trop à la mode. J'en reconnais un, il travaillait au 4060, boulevard Saint-Laurent lorsque la galerie *Dazibao* y était encore. Il sortait à l'époque avec le petit Brad, un ancien amant de David, celui qui m'avait raconté cette belle histoire d'amoureux qui s'envoyaient des cassettes dans lesquelles ils se faisaient l'amour, histoire que j'ai récupérée dans

Crimes passionnels. J'utilise tout ce qui se passe autour de moi, sans cesse à l'affût de ces petites choses de la vie susceptibles d'être investies dans mes histoires. Je m'inspire de la vie des autres parce que la mienne est souvent trop banale, je provoque le monde en lui dérobant ce qu'il ne m'accorde pas. Ce type trop blond ne m'intéresse pas et je m'assois de manière à ne pas le voir. À ma gauche se trouvent deux hommes sans charmes particuliers, d'allure somme toute ordinaire. J'entends l'un deux dire: «On habitait dans la rue Saint-Paul, en face du Palais de Justice, un loft crado en 'stie.» Ce mélange d'argot français et de québécois m'agace. Encore ces gens qui veulent faire intellectuels et cool, qui boivent leur café noir, qui n'écoutent pas Madonna parce que ça fait trop populaire. C'est comme Joyce Lupin, justement assise au bar. Cette critique d'art n'avait pas de temps à perdre à écouter Céline Dion, ni même à en parler et me disait cela sur un ton de condescendance que seuls les petits peuvent prendre, ces gens coincés, préoccupés par ce qu'il faut faire et voir et dire, toujours habillés de noir, ces sangsues de vernissages, de lancements et de premières, ceux qui posent dans les bars des quartiers branchés, ces fonctionnaires de la vie formés dans les conservatoires ou dans la ruelle des préjugés, qui répètent ce qu'ont écrit la veille les Foglia et autres Petrowski. Ça me fait vomir. Et ils sont plusieurs à

L'Express mais je ne veux pas en parler, je me contente de les regarder dans le miroir. Insensible à mes voisins, les ignorant avec ma superbe inutile et vaine, je cherche l'action devant moi, mes oreilles mises en veilleuse puisque je ne veux rien entendre. Ce soir, je me ferai un film muet.

Le beau David Bosquet s'installe au bar. Il s'est déguisé: casquette grise de cycliste avec un ruban de matière réfléchissante cousu sur la calotte et la divisant en deux dans le sens des lobes cérébraux, chemise grise de travailleur sans manches portée sur un T-shirt blanc aux manches roulées pour laisser voir les biceps, gilet noir avec un dos de soie vieil or, pantalon de cuir noir, bracelets en chaînettes de chrome et cockring de cuir clouté autour du poignet. Un des uniformes homosexuels. La soirée s'annonce bien finalement, elle me donne des choses à voir. Elle provoque mon voyeurisme, elle interpelle et fait rebondir mon regard, elle met la vue au défi comme un test d'ophtalmologie. Ce David Bosquet est très beau avec son profil grec, ce nez qui glisse du front, de sous l'élastique de cette casquette d'adolescent qui cache ses cheveux pâlis pour le théâtre ou le cinéma. En fait, le jeune vicaire de *Montréal P.Q.* devient plutôt irrésistible parce qu'il est trop mince pour porter les manches de son T-shirt ainsi retroussées et s'exhiber avec cet attirail de cuir et de chaînes. Il arbore ce soir ce costume aguichant, un peu sado-maso, et je me dis qu'un homme très musclé ne saurait me troubler ainsi costumé. Il nous propose à la fois la fragilité gracile de son anatomie devinée et l'arrogance de son déguisement, de son allure. Cette ambiguïté étudiée entre la faiblesse et la vigueur, entre le pur et l'impur, le rend éminemment désirable. Et je comprends chez lui la valeur hyperbolique du cuir: dire plus pour faire entendre moins, révéler en voulant masquer. J'apprécie soudain le charme d'un corps fragile orné des attributs de la force. Le jeune acteur m'excite par cette maîtrise frondeuse de l'ambivalence. Le désir résiderait dans cette oscillation, dans la suggestion comprise comme une vibration, une pulsation. Le poignet deviné sous le gant... Il s'agirait donc du contraire du bonheur qui relèverait, lui, de la plénitude, de la satiété, de l'immobilité, voire de l'indifférence.

Deux de mes amis viennent d'arriver. J'avais dit au téléphone à Lambert que j'allais à *L'Express* ce soir. Je le provoquais un peu en le lui disant. Oserait-il se présenter sachant que j'y serais et qu'il pourrait figurer dans le livre, que je pourrais révéler de lui, imminent avocat, des choses que je ne devrais pas. Je pense à l'histoire des serviettes maculées de merde et de foutre dans la chambre d'un luxueux hôtel mexicain, à l'incroyable accident où il écrasa une jeune prostituée un soir d'hiver 1990 devant le *Cléopâtre*, à ce splendide prostitué hollandais qui lui avait remboursé ses soi-disant honoraires tant il avait été comblé par le grand art de mon ami, aux coupons de taxi qu'il remet à ses amants d'un soir quand il ne veut pas les avoir à sa table le lendemain au petit déjeuner. Je pense à mille autres choses cocasses ou tragiques qu'il m'a confiées comme cette histoire où sa mère, une femme très froide et très riche, avait offert à l'amant de son fils des études à Berkeley à la condition qu'il ne revienne plus à Montréal et qu'il oublie son cher petit alors âgé de vingt ans. Et Lambert, en venant ce soir dans mon domaine, sur mon territoire, met aussi à l'épreuve ma discrétion en me donnant la possibilité de le trahir. Nous titillons notre amitié. Aurais-je la décence de ne rien dire, de respecter le secret de ses confidences? Je le saurai après les quinze repas, assis à ma table de travail devant la nappe de papier numéro 3 collée à ma fenêtre avec du *masking tape*.

On m'apporte une entrée de lamelles de pieuvre marinée, déposées sur une petite éminence de lentilles. L'assiette est décorée d'une julienne de poivrons rouges ordonnée en parenthèses tout autour des tranches de pieuvre. Le garçon qui me sert se prénomme Stéphane et je me demande s'il ne s'agit pas du type de Sylvie. Pendant que je mange mes tranches de pieuvre, je regarde David Bosquet, seul au bar. Il porte une boucle d'oreille, du toc, évidemment. Tout cela ne m'offre aucune indication quant à ses préférences sexuelles; le pantalon de cuir, les manches retroussées, la casquette, les bracelets ne témoignent en aucune façon de ses goûts, ne sont indices d'une quelconque inversion. Quoiqu'il pourrait faire comme moi et jouer de cette ironie afin de brouiller les cartes. Le déguisement, ce second degré du vêtement. Je me souviens, lorsque j'ai eu à choisir la photographie du frontispice de *Darlinghurst Heroes*, d'avoir longtemps hésité à l'illustrer de la photographie nocturne de K. en maillot de bain. La beauté de son corps, sa seule monstration conférait au livre un caractère homosexuel qui aurait pu être perçu négativement. Je n'avais rien à prouver mais rien à cacher non plus. Et je m'amusais à ce que l'illustration présuppose la teneur du livre. En était-il ainsi de l'habillement du bel acteur, cette ostentation de peau et de chrome? Y aurait-il, cachés sous le cuir et la quincaillerie, une volonté de démontrer ou de dévoiler quelque chose, un sens latent, un sous-texte? Ce n'est pas à le regarder ainsi que je connaîtrai la vérité mais je m'informerai tout de même auprès de mes amis de théâtre. Il m'intrigue ce David avec ses falbalas de petit voyou.

Félix, le jeune *bus boy* du début, m'apporte mon assiette de foie de veau à l'estragon. Il a les lèvres d'un rouge très foncé, on les croirait recouvertes d'un fard grenat. Lui aussi est très beau, grand et mince, avec une sorte de retenue, de froideur, presque du dédain. À défaut de sa gentillesse, je me contente du foie de veau qu'il m'apporte et qu'il dépose avec brusquerie sur ma table déjà recouverte de croquis et de notes. Le parfum de l'estragon adoucit l'âpreté des abats. Le foie est servi avec des pommes de terre en purée que je mélange avec ma fourchette au beurre fondu de la sauce. Le Côte Fleurie est très léger, avec un petit goût de prune et de mûre.

J'ai apporté un livre, au cas où, *Réflexions faites* du pianiste Alfred Brendel. Je lis en mangeant et j'échappe sur une des pages une bouchée de foie. Il y parle de l'écriture fragmentaire des romantiques chez qui la forme devait rester ouverte pour accueillir l'incommensurable. Voilà un mot que j'adorais lorsque j'étais jeune. Je peignais alors des tableaux aux formes irrégulières, fixés au mur de manière à délimiter les contours d'un long rectangle, l'ensemble des fragments créaient, par leur agencement, une totalité virtuelle. Ils pointaient une totalité qui n'existait plus. Je vois moins la nécessité de la forme fragmentaire en photographie puisqu'elle est, par nature, un morceau de quelque chose. Cependant, dans mon travail d'écriture, je désire encore une forme ouverte. Bien qu'elle conserverait la nostalgie d'une totalité, celle qui impose un sujet bien circonscrit, une finalité, une unité de temps, de lieu, elle ne pourrait s'y résoudre parce que l'idée même de totalité est devenue impossible, fascinés que nous sommes par les éclats brillants des surfaces, par les parcelles d'immédiateté. Aujourd'hui, je m'intéresse toujours aux formes ouvertes mais désormais pour accueillir le très intime, sur le mode de l'implosion.

Devant moi une femme ressemble à Louise Ferblantier. Elle a gardé son chapeau, un chapeau noir à large bord. Encore une femme habillée de noir... Sans maquillage, je ne pourrais jurer si c'est bien elle. Je saurais cependant la reconnaître à son rire. Ils sont quatre à table. On dirait un dîner d'amis. La femme blonde assise devant elle, c'est la journaliste Lysanne Gagné mais je ne reconnais pas les deux hommes qui les accompagnent. L'autre jour, j'énumérais à un ami toutes les célébrités que je voyais au restaurant. C'est étrange car, bien que j'y mangeais assez régulièrement avec des amis riches, jamais je n'avais remarqué autant de gens connus. Naturellement, lorsqu'on mange seul on a tout le loisir d'observer autour de soi, ce que l'on ne fait pas lorsqu'on est accompagné et que la conversation se gonfle et parvient à recouvrir toute la salle. Mon copain me mettait en garde contre le côté racoleur de mon entreprise, il ne faudrait pas tomber dans la vulgarité de l'énumération des personnalités me disait-il. Il faudrait parler de tous les autres, des gens ordinaires. Même au risque de l'ennui. Mais je voudrais tant procurer du plaisir, un plaisir gratuit, qui coule, qui glisse, celui, entre autres, lié au potinage. Et à quoi occuper mes soirées de solitude sinon à parler des gens avec qui je partage un des plus grands plaisirs de la vie, un des plus intimes: manger. Parler de Louise Ferblantier dans son manteau citrouille, méconnaissable sans maquillage, plus petite que je ne l'aurais cru, une Louise Ferblantier qui ne rit pas, n'est peut-être digne d'intérêt que dans la mesure où je témoignerais de mon affection pour elle, sans la trahir, sans tenter de perforer sa bulle. Car je l'aime beaucoup, Louise Ferblantier, et la fréquentation de son travail m'a fait croire que j'avais accès à son âme. Maintenant une sorte de pudeur m'envahit. Ce soir je la regarde et elle m'est indifférente. Pourtant je l'avais sentie cette femme, j'avais l'impression d'être dans son propre corps lorsqu'elle chantait *Lindberg* avec Robert Charlebois, j'aurais aimé lui écrire une chanson lorsqu'elle était en quête d'auteurs, mais ce soir, je suis déçu de la voir calme et réelle dans le restaurant. Elle m'est tout à coup complètement inconnue.

Je regarde cette chanteuse étrangère mais dont je connais pourtant la passion, seul avec mes notes comme dans un scaphandre, un carcan d'acier avec une visière soudée, maintenant convaincu de l'incommunicabilité entre les gens, entre le monde et moi. Et je découvre, piètre lucidité, ce sur quoi j'ai toujours travaillé dans mes livres, dans mes tableaux ou mes photos: l'étanchéité des êtres les uns aux autres. Les textes enclos dans la pulpe, les impossibles *Traversées d'Italie*, les corps noirs sourds et muets, les figures drapées méconnaissables dans leurs cocons de phosphore, les traces évanescentes que la pellicule ne peut capter entièrement, les fragments de cadavres sur des sols immaculés et stériles, les intérieurs vides, le langage perdu des crabes, l'enveloppe de cheveux roux, la lettre de suicide. Je passe d'une réflexion à l'autre, les idées s'enfilent comme les perles de verre d'un collier.

Le restaurant se vide peu à peu, les gens quittent lentement. Mes voisins de droite payent et s'en vont. Mes voisins de gauche se demandent s'ils prendront un autre verre, ailleurs. L'un d'eux dit en bégayant qu'il ne veut plus rien boire, l'autre, celui qui vient de réaliser son troisième disque et qui habitait «un loft crado en 'stie» lui répond qu'ils pourraient passer chez l'amie du premier et prendre un Perrier. Le bégayeur dit ne pas savoir exactement à quelle heure elle arrête. Je crois qu'il connaît très bien l'horaire de sa chérie mais que c'est un prétexte pour s'échapper. Il avait l'air de s'embêter, il n'a pas vraiment beaucoup parlé ce soir. Ils se lèvent maintenant. Mais je les reconnais, c'est Luc de la Rochefoucauld, avec ses yeux un peu bridés comme ceux des chiens esquimaux, et son copain de Lapérouse. J'aurais dû prêter une oreille plus attentive à leur conversation. 'Stie.

On me sert encore un fromage trop froid. Je voudrais bien les commander dès mon arrivée pour qu'ils passent à la température de la pièce, mais la carte des fromages, avec ses petits cartons insérés sous le ruban, se trouve au verso de celle des desserts. On n'apporte cette carte qu'après le plat principal. Dommage.

Les gens assis à côté de mes amis font sauter le bouchon d'une bouteille de champagne Pomery. J'irai tout à l'heure prendre le dessert avec Lambert et François et ainsi je pourrai entendre la conversation de leurs voisins et tenter de deviner ce qu'ils fêtent. Une naissance, un anniversaire, un contrat, un nouvel emploi, une promotion, un prix, un billet de loterie gagnant, une bourse, ou d'une façon plus méchante, le feu chez un voisin ennemi, l'ablation d'un sein de la belle-mère acariâtre, la lente et douloureuse agonie suivie de la mort violente d'une codirectrice détestée. À moins qu'ils ne célèbrent leur rencontre. Je suis dans ce restaurant comme dans une course au trésor, errant de place en place à la recherche du bonheur. J'en aurai décelé les signes et ce livre en sera la preuve irréfutable. Je ne l'aurai pas écrit pour rien trois fois; une fois dans l'expectative de la soirée, une autre fois dans la tête au moment où «ça» se passe comme actuellement, alors que je regarde ces gens boire leur champagne et trinquer à chaque gorgée, et une dernière fois, à la fin de la cueillette des notes, bien dessaoulé, en sirotant un café devant mon ordinateur. L'intérêt ne résidera pas tant dans l'histoire que dans la trajectoire adoptée par ce projet à l'intérieur de son cadre fixe.

Je demande au petit aux lèvres si rouges s'il entrevoit un problème à ce que je prenne le dessert avec mes amis. Bien que cela lui fasse deux tables à nettoyer et à remonter au lieu d'une, il accepte, indifférent. Les lèvres de Félix, couleur de grenade, ne me sourient pas.

Lorsque j'ai voulu visiter l'exposition de mademoiselle Larenverse il était trop tard, on la décrochait. J'ai téléphoné à la maison de production Cinéflix, et j'ai laissé un message demandant qu'on me rappelle. Ils ne l'ont pas encore fait.

Benoît et moi sommes allés promener le bouvier des Flandres sur le versant nord de la montagne, dans le bois près du cimetière juif. Le chien se roulait dans la boue, se choquait contre les roches, poursuivait des écureuils, se couchait dans les feuilles mortes. On y a rencontré Frau Kunst avec son golden retriever, Papilein. Benoît lui avait déjà parlé une fois, dans ce même bois, mais n'avait pas trop compris ce qu'elle racontait car Frau Kunst ne parle qu'un anglais approximatif truffé d'allemand. Elle est arrivée au Canada avec vingt-cinq sous en poche. Elle nous parle de l'achat de son premier tableau pour lequel elle dut travailler un mois, sept jours sur sept. Elle m'avoue qu'on lui a récemment offert la somme de quarante mille dollars pour ce tableau. Elle n'a pas accepté de le vendre. Il est encore accroché à un mur de son boudoir. Papilein ne veut pas se laisser sentir le derrière par le bouvier des Flandres. On parle du chien, il a quatorze ans. Frau Kunst nous dit que son Papilein est entraîné à aider, par sa présence réconfortante, les patients en phase terminale, für Therapie. La semaine dernière un certain Ross lui a téléphoné à dix heures du soir. Un jeune homme de 25 ans, atteint du sida, n'allait pas bien du tout et on croyait que la présence du chien le soutiendrait. Ce jeune homme n'avait personne au monde, ni famille, ni ami; il agonisait dans le plus grand dénuement affectif. Ils ont déposé délicatement Papilein à côté du jeune homme qui l'a pris dans ses bras. Un heure plus tard, le jeune homme

abandonné mourait, un sourire sur son visage, à jamais. Brave
Papileinchen…

Je traduis tout à Benoît. Frau Kunst me demande où
j'ai appris à parler allemand, je lui réponds que j'ai étudié à
Düsseldorf, il y a dix ans. Justement, Françoise m'a réclamé il
y a quelque temps un texte pour accompagner une série de
gravures; elle prévoyait produire un livre d'artiste. J'annonce
à Frau Kunst que le livre sera lancé le 10 décembre et s'inti-
tulera Souvenirs d'Allemagne. Ça pourrait l'intéresser, je
lui dis qu'elle est la bienvenue. Il s'agit de brèves anecdotes
écrites dès mon retour, des aventures singulières survenues lors
de mon séjour, dont cette rencontre en 1984 avec Dominik
von Stauffenberg, le fils de Clemens, le jeune frère de
l'organisateur de l'attentat contre Hitler à Rastenburg, le
colonel Klaus Schenk von Stauffenberg. J'aimerais bien l'inviter
au lancement. Subitement grave, Frau Kunst m'apprend que
son père faisait également partie de la conjuration qui,
malheureusement, avait échoué. Son père aussi avait été
assassiné. Les nazis avaient fusillé ou pendu les principaux
responsables de l'attentat avec des cordes de piano qui
tranchèrent leur cou sous le poids de leur corps. Elle ne sait
pas si elle pourra venir, vous comprendrez ajoute-t-elle. Frau
Kunst me laisse tout de même son numéro de téléphone. Il
aura fallu tout ce temps pour que le monde rejoigne ma
littérature.

Il faut se méfier de l'écriture, elle finit toujours par être rattrapée par le réel. Mais ça prend un certain temps. Qu'adviendra-t-il de mes soirées à L'Express? Le monde semble pour l'instant résister à mon projet. J'avais imaginé une complicité avec les employés, Félix ne me salue même pas lorsque j'entre dans le restaurant; j'avais espéré que mes filatures parallèles — le type aux cheveux blonds, les œuvres de mademoiselle Larenverse — deviendraient des excroissances de mon récit, ça n'a pas marché. J'avais rêvé que ce deuxième récit s'infiltrât dans le premier, comme des histoires gigognes qui nous auraient menés à l'essentiel.

En attendant, il me faudra trouver quelque chose d'autre, une histoire suspecte qui traverserait les chroniques comme une persistante odeur de cuisine au relent de brûlé, une effluve légèrement rance, comme celle du lait caillé et qui s'insinuerait partout.

JEUDI 10 NOVEMBRE

Céleri rémoulade
Réserve Pierre André
Suprême de poulet à la moutarde
Langres, noix

Immédiatement après mon arrivée je me rends compte qu'il ne s'agit pas de la même clientèle qu'à l'accoutumée. À partir du jeudi viennent les gens du week-end, c'est-à-dire ceux que les vrais habitués fuient, ceux qui pourraient les reconnaître et les saluer, demander leurs autographes, les déranger, ceux que moi je ne reconnais pas. Jusqu'à Noël les habitués bouderont le restaurant et les banlieusards viendront souper à *L'Express* après leurs courses, les sacs de *Bleu Nuit* remplis de couvertures de mohair, de literie de batiste. Peut-être pourrait-on y découvrir aussi des blaireaux de poils de sanglier au manche d'argent, de la vaisselle, des nappes en damas de lin, des plumes d'écume, des casseroles de cuivre ou des moules à clafoutis en faïence blanche d'*Arthur Quentin*, des vêtements de couturier, des blouses en charmeuse de soie, des jupes en veau velours, des leggings en fils dorés de *Revenge*, des lampes d'opaline et des appuis-livres en bois de rose de *Plouk Design*. En attendant ce que j'ai commandé, je regarde autour de moi par le miroir, je me retourne, je ne vois rien ni personne susceptible de déclencher l'écriture. Mon regard n'est accroché par rien. Les yeux ne constitueront pas ce soir le relais des mots. Je me dis que ça ne fera pas un bien long chapitre. Mes voisins de droite, une famille anglophone, ont l'air intelligents mais semblent trop parfaits, trop polis pour être heureux. Leur harmonie m'apparaît suspecte à la manière des tableaux pompiers du XIXe, trop léchés, trop composés. Les deux enfants, un adolescent d'une quinzaine d'années et sa sœur un peu plus vieille, conversent avec leurs parents, surtout avec la mère, une jolie femme mariée à un homme bien conservé. Certes, leurs opinions diffèrent mais ils parviennent à s'expliquer posément. On imagine facilement qu'ils discutent, avec un grand sens de la justice et avec beaucoup de respect, de certains problèmes sociaux, des injustices de classe, des délits mineurs d'une jeunesse inquiète, de la dépendance ou de la prostitution. Jusqu'à ce que la misère qu'ils comprennent si bien frappe à leurs portes. Jusqu'à ce que des êtres de chair et d'os vivant selon d'autres valeurs s'approchent trop de leur maison d'Outremont ou de Sainte-Foy. D'autre part, si je me souviens bien de mon raisonnement de l'autre soir, malgré la brume du Côte Fleurie, ce calme policé, ce respect apparent des autres ressemble fort à l'immobilisme que je croyais nécessaire au bonheur. Mais cette famille m'ennuie et ce que je cherche devrait m'intéresser néanmoins. Je suis à la poursuite des traces du bonheur et cette gentille famille n'en laisse aucune. C'est comme s'ils étaient trop propres, comme s'ils flottaient sur la vie, comme s'ils n'avaient pas d'empreintes digitales. Pourtant je dois l'admettre, cette famille, ennuyeuse parce que trop parfaite, s'impose comme ma deuxième image du bonheur. Mais de ce bonheur-là je ne témoignerai pas.

En allant aux toilettes j'aperçois un ami avec un homme échevelé. Je ne le salue pas pour ne pas troubler leur intimité et je continue. Sur mon chemin, une porte donnant sur la ruelle est restée ouverte. Quelques garçons sortent une caisse de bois de l'arrière d'une Ranger noire. Un d'entre eux est posté en sentinelle et surveille, de gauche à droite, d'éventuelles allées et venues. Il murmure en se retournant vers ses comparses: «Dépêchez-vous, une voiture s'en vient!» Ils portent la caisse à bout de bras et la dissimulent à toute vitesse sous l'escalier qui mène au restaurant. J'ai tout juste le temps de me tasser sur la gauche pour ne pas me faire remarquer. Ils recouvrent la caisse d'une bâche. La voiture klaxonne pour que la Ranger libère la ruelle. Je profite de leur nervosité pour me sauver dans les toilettes. Ils ne m'ont pas vu. J'ai eu le temps de noter, entre le couvercle et les parois de planches, des brins de paille qu'on avait négligé d'enlever lors de l'encaissage.

En revenant à ma table, je change de côté afin de ne pas avoir mon copain et son ami dans mon champ de vision. Je pourrais dire tant de choses sur eux, les observer, même de loin, serait trop tentant. Je fais donc face maintenant à l'arrière du restaurant. J'en ai une très belle vue, tout en perspective, et je peux du même coup surveiller les allées et venues des garçons à la caisse de planches. Ils sont tous rentrés et ont repris leurs occupations comme si de rien n'était. Le restaurant est construit en longueur. La partie inférieure des murs est peinte en bordeaux et le reste ainsi que le plafond sont jaunes, d'un ocre soutenu poudre de cari. Je crois me rappeler qu'à l'ouverture on l'avait peint en beurre ou en crème anglaise et il me semble que l'espace était plus lumineux. Serait-ce la fumée des cigarettes qui aurait foncé et rabattu ainsi la couleur originale? À moins qu'on n'ait joué le coup de la patine. Ça ne me surprendrait pas. On a accroché côte à côte aux murs du fond, dans la section fumeurs, les photos annuelles du personnel et des propriétaires. Quelques grandes plantes, un *monstera deliciosa*, des *palmaceae*, des philodendrons arborescents séparent la section fumeurs de celle réservée aux non-fumeurs. La blonde du début travaille ce soir. Elle se cache dans les plantes et sort un petit appareil-photo qu'elle braque sur quelqu'un. Impossible de savoir ce qu'elle photographie. Je m'interroge si ça n'a pas à voir avec la caisse...

Voilà qu'on m'apporte, simplement présenté sur une feuille de laitue frisée rouge, mon céleri rémoulade à la fois ferme et moelleux, comme on l'aime. La mayonnaise allongée de jus de citron conserve au légume sa fraîcheur attendue. En consultant le menu tout à l'heure je me demandais si je n'étais pas déjà blasé. Je n'avais envie de rien en particulier. Un simple sandwich aux tomates aurait suffi, j'en aurais été comblé. Être blasé, cette véritable élégance qui consiste à préférer parfois un petit vin blanc au champagne, y serais-je déjà après quatre dîners seulement? Ça n'aura pas pris de temps... Je me sens un peu comme ceux qui refusent, par peur du mouvement, de chercher, d'errer, de faire marche arrière s'il le faut... Mais c'est si confortable ici, dans mon cocon rouge et or. Le garçon vient s'enquérir si tout va bien, il remplit mon verre de vin, m'offre d'autre pain, m'appelle Monsieur Motrin. *L'Express*, ce bon couffin jaune et chaud où l'on s'occupe si bien de vous, où l'on vous chouchoute, vous bichonne, où rien ne se passe.

On me retire mon assiette vide et on me ramène le blanc de poulet à la moutarde accompagné de petits légumes taillés en ballons de football. Je me plonge dans le livre de Ian Stephens, *Diary of a Trademark*. J'ai connu Ian dans les années soixante-dix. J'étais toujours avec Claudio et lui avec Robert G.-S. Je ne me souviens plus très bien comment on s'était rencontrés. Je faisais à l'époque une série de photographies, *Anagramme I*, et j'avais requis son amant comme modèle. Je le faisais poser nu dans des triangles de lumière, sur un miroir déposé à même le sol, au cœur d'une flaque métallique dans laquelle son corps se reflétait. À cette époque ça allait plutôt mal avec Claudio. Il était tiraillé entre le piano et l'alcool, il n'y avait pas de place pour moi. Ian arrivait avec sa rébellion d'enfant riche et sa tendresse. Nous sommes devenus copains. Une amitié reposant sur un certain mal de vivre. C'était le printemps, on s'était enfuis à la propriété de ses parents à Métis Beach. Ils y possédaient une maison de villégiature, un immense chalet de cèdre comme en avaient, à l'époque des Reford, certaines familles anglaises de Montréal. Je me remémore la plage où, attendant son arrivée, j'écrivais son nom dans le sable gris avec un bâton. J'avais apporté mon Nikon et je photographiais son nom à l'heure de la marée montante pendant que la vague écumeuse le lissait en passant dessus, jusqu'à ce qu'il soit anéanti par l'eau, rendu à la mer, effacé. J'enregistrais la disparition de son nom. Je me rappelle qu'il avait fouillé dans un des tiroirs de la cuisine et m'avait donné une cuiller à café en argent au monogramme de sa famille. Je l'ai toujours, enveloppée dans une feutrine turquoise et cachée au fond d'une armoire. Nous avions vite compris l'impossibilité de notre liaison. Elle ne tenait pas à la différence de classes mais tout simplement parce que nous devions digérer nos histoires d'amour respectives avant de s'en faire de nouvelles. Je me souviens que nous avions fait l'amour dans la chambre de sa mère. Il y tenait. Revenu à Montréal, il m'a remis un mot d'adieu où il avait écrit à l'encre verte: «Que les oiseaux restent sur tes épaules.» J'ai l'ai compris comme un vœu. J'ai essayé de les garder là, perchés en équilibre précaire sur mes épaules. Plus tard, il a formé un groupe de rock hard et poétique, les Red Shift. La semaine dernière, en me rendant à l'*Androgyne* j'ai découvert son livre publié par la Compagnie des Muses. Les charmantes libraires m'ont appris qu'il vit maintenant à Saint-Henri. Ian est malade. Ce livre exprime sa révolte. Il ne s'agit plus de la révolte de l'enfant de riches mais de l'homme qui n'aura pas le temps de faire ce qu'il a à faire et qui doit laisser la place à tous ces imbéciles qui, eux, ne seront jamais malades. Voilà sans aucun doute le livre le plus noir que j'aie lu. Souvent on décolle dans des envolées époustouflantes d'imagination et de pure beauté mais il a tôt fait de nous en dévoiler la fausseté, de nous révéler leur construction toute littéraire. À chaque fois on retombe, on s'écrase dans sa réalité abominable, insoutenable. Dans le monde de Ian, il n'y a plus de place pour la fiction gratuite. Seul le documentaire est possible. Le réel ne peut plus perdre de temps. Même si Ian tente de trouver dans la littérature un refuge, d'en faire son ultime sanctuaire, l'impitoyable réel le rattrape tôt ou tard. Et à ce réel-là on n'échappe pas. Cette jeune vie au regard d'opale est rongée par des lymphomes. La famille parfaite d'à côté a les yeux fermés sur ces destinées-là. Je me lève et leur offre son livre. Au moins qu'ils lisent ce qu'ils ne vivront jamais, qu'ils cessent une seconde de sourire pour se recueillir sur le sort du chanteur blond victime d'un mal qu'ils ne connaîtront statistiquement jamais. À mon air grave, ils acceptent le livre sans rien dire, peut-être pour ne pas attirer l'attention sur eux, pour que je retourne à ma place le plus tôt possible. Quelque chose se passe, quelque chose craque, ils ne savent pas comment réagir. Je reviens à ma table et commande un langres, cette fois à la bonne température. Un client a probablement changé d'idée et on m'apporte sa part.

Je ne rentre pas directement chez moi. Je tourne à gauche à la rue Roy et je remonte la ruelle jusqu'au restaurant. Personne. Je pénètre dans la cour arrière en me faufilant le long de la clôture jusqu'à l'escalier. Je me penche dessous. La caisse de bois ne s'y trouve plus.

On m'apporte, avec un flacon d'huile d'olive, une assiette de quartiers de citron en mousseline…(p.123)

MARDI 22 NOVEMBRE

Scotch JB
Soupe paysanne
Onglet, beurre échalote
Beaujolais nouveau
Gâteau mousse au chocolat

Je suis très contrarié aujourd'hui, une stupide histoire du quotidien, une porte d'armoire malhabilement fermée sur les doigts, l'anse de la tasse de café bouillant cassée au moment de la porter aux lèvres, le petit orteil accroché au coin d'un meuble, le téléphone qui ne cesse de sonner. Je quitte donc mon appartement plus tôt que prévu et j'arrive au restaurant quinze minutes avant l'heure de ma réservation. Je suis certain de voir mademoiselle Larenverse, un pressentiment, je sais que ce soir elle me sourira. Depuis qu'elle est devenue un de mes personnages, c'est comme si nous nous connaissions, comme s'il s'agissait d'une vieille amie et j'ai hâte de la retrouver. Que voulez-vous, je l'aime déjà, c'est mon personnage. Ce n'est pas comme le garçon aux lèvres trop rouges qui ne me sourit jamais en apportant le pain. Celui-là, il faudra que je le rende bien ignoble, ça lui apprendra.

— Tiens, mais c'est mademoiselle Larenverse! Décidément, nous mangeons aux mêmes heures! Comment allez-vous?

— Ah! bonsoir. Ça va bien, ça va très bien jeune homme. Écoutez, pourquoi ne vous asseyez-vous pas avec moi, au comptoir? Allez, venez, mangeons ensemble pour une fois, on fera connaissance, nous les deux solitaires de *L'Express*... Vous verrez que Monsieur Masson nous fait une conversation très agréable, n'est-ce pas Monsieur Masson? Ce sera sûrement plus drôle qu'isolé à votre petite table!

— Vous savez mademoiselle Larenverse, j'aime bien cet isolement, ça me permet d'écouter ce que disent les gens, de transgresser ce léger interdit. Je m'amuse beaucoup à être indiscret vous savez.

— Je vous regarde parfois par le miroir, à travers les bouteilles des étagères, comme ça et je me demande ce que vous écrivez constamment sur votre nappe de papier. Au début, je pensais que vous étiez une sorte de gestionnaire, que vous deviez planifier votre journée du lendemain, les comptes à payer, les clients à rencontrer, les arguments à trouver. Mais vous n'avez pas la tête de ça. J'ai imaginé aussi que vous étiez écrivain, un auteur de théâtre, pourquoi pas, ici, ce ne serait pas surprenant...

— Ah ça, mademoiselle Larenverse, ce que j'écris

ici... Eh bien, moi aussi je me demandais comment il se fait qu'une femme telle que vous mange toujours seule. Je me demandais si votre exposition s'était bien passée. J'ai voulu y aller mais je m'y suis pris trop tard, on la démontait.

— Ce n'est pas grave, ne vous en faites pas. Oui, l'expo s'est bien passée, j'ai fait des télés, la radio, les journaux, enfin les trucs habituels. L'accueil a été vraiment for-mi-da-ble!

Mademoiselle Larenverse est devant moi dans le vestibule et s'apprête à partir. Elle me sourit de ce sourire irrésistible. Je me sens rougir et je baisse la tête. Son compagnon la rejoint et ils décident de quitter immédiatement. Mademoiselle Larenverse me lance un dernier regard curieux.

Christian m'avertit sans trop d'égards que je devrai attendre mais qu'après tout, je suis en avance. Christian le maître d'hôtel, le seul qui soit un peu complice avec moi, se rangerait-il du côté des garçons? Ce n'est pas parce que j'ai assisté, bien malgré moi, au déchargement de la caisse de planches que je deviens dangereux pour eux. Je m'assois au comptoir et je commande un scotch. Le waiter ne me demande pas quelle marque je désire et il m'apporte un JB. O.K. pour le JB, mais j'aurais préféré boire un *pure malt*.

Christian vient me chercher alors que j'inscris une note sur une feuille de calepin qui traînait sur le coin du comptoir, sous le bouquet de lis. Christian remarque mon Mont Blanc et sort de la poche de sa chemise un Bic mauve qui date d'il y a trente ans, un stylo avec un déclencheur latéral. «On n'en trouve plus des comme ça», me dit-il, peut-être pour me narguer. Et moi qui n'ai presque rien, pas d'auto, pas de condo, pas d'atelier, moi qui doit mendier pour manger au restaurant, je n'ai de précieux que mon beau crayon d'écrivain, ce Mont Blanc offert lors du vernissage d'une de mes expositions, et voilà que Christian me fait sentir parvenu. Je lui réponds, comme si je devais me justifier, que c'est mon outil de travail, qu'on a tous ses petites manies, moi c'est cette plume. Il ajoute que de toute façon c'est trop gros dans la main. J'aurais le goût d'être vulgaire mais je me tais, nous sommes tous deux de mauvais poil aujourd'hui.

Je dois surveiller ce que je dis lorsque je suis en public. Il faudrait — comme me le faisait observer la photographe Geneviève Radieux lors d'un dîner organisé chez moi en l'honneur d'une artiste australienne rencontrée à la biennale de Sydney et à qui j'avais prêté mon appartement pour une semaine pendant laquelle elle m'a monté une facture astronomique en effectuant des communications interurbaines à mon insu; voilà comment sont les artistes, ça m'apprendra — il faudrait donc que je sois davantage conscient de l'image que je projette. Selon elle, il faut une «attitude». Si je l'écoutais, il m'en faudrait deux. Une première, convenable, élégante, un rien chiante, conforme à ma fonction de directeur de galerie d'art et une seconde, un peu distante, plus trouble, tout habitée par les fantômes qui hantent ma production, une attitude d'artiste.

Aujourd'hui j'ai reçu une lettre de harpie de Régine, une amie de ma mère. Elle a acheté mon dernier livre. Ce qu'elle m'a écrit m'a beaucoup fait réfléchir et j'ai compris à sa hargne que même dans l'univers clos de mes textes je ne dois pas avoir la bonne «attitude». *Cher André, je ne veux pas te parler de ton style, le prix que tu viens de recevoir en reconnaît la qualité. C'est plutôt du contenu dont je voudrais te parler. Je te connaissais par les yeux et le cœur aimants de ta mère. Être homosexuel est une chose, la manière de le vivre en est une autre. Je crois que tu aurais besoin d'une cure auprès de ton frère Jésus-Christ. Il saura te réconforter dans toute sa miséricorde, il t'ouvrira ses bras de douceur et près de*

lui tu pourras retrouver foi dans la Vie et dans l'Amour. Confie-
lui les tourments de ton désordre intérieur, abreuve-toi à son
sein de pardon. Je t'assure qu'il n'est jamais trop tard pour
s'incliner devant la magnificence de l'Amour divin. Ce fut
une véritable leçon. Dorénavant, j'aurai une attitude, je
ne raconterai que des choses pudiques, je saurai me tenir.
J'irai aussi dans les vernissages, les lancements, je serai
toujours poli mais distant, affable avec les gens de pouvoir,
brillant parfois avec les critiques. Je n'écrirai plus
d'histoires où interviennent mes désirs invertis. Tiens, je
pourrai faire un livre sur mon enfance au bord de la mer,
narrer la vie de ma famille. C'est ça, je présenterai l'histoire
de ma famille. Avec mes dix grands-pères et grands-mères,
ça fera toute une saga. Je retracerai leur histoire, chacun
étant un véritable personnage, typé et tout. Il y aurait un
début, un dénouement, une chronologie facile à saisir. Je
fouillerais bien profondément la psychologie des
personnages. Je produirais une œuvre expressionniste et
profonde. Une grande saga aux couleurs de mon pays natal.
V.-L.B. s'occupe de Trois-Pistoles et Rachel Leclerc de la
Gaspésie. Entre les deux, il me reste mon Rimouski. Je
traiterai de tout, des enfants que, trop pauvre pour les
élever ou dépassé par le nombre, on donne aux autres
(Rita, Muriel, Miche, Jean, Louis), de ceux que l'on chasse
à quatorze ans avec, pour toute valise, une vieille boîte de

Corn Flakes (Germaine), du père alcoolique qui buvait toute sa paye le vendredi soir et rentrait au petit matin dans un taxi plein de filles au rire trop fort et au parfum trop lourd sous le regard de ses deux petites dernières tenues en otage par la belle-mère dans le salon jusqu'à quatre heures du matin (Charles, la méchante belle-mère, Gisèle, Charlotte), des caprices (Élise), de la persécution (Jacques), de la faillite (Guy, Bernard, Paul). Je parlerai de la parade de mode sur le *France* (Antoinette), des lunettes Christian Dior sur le nez en même temps que l'étui dans la main pour qu'on remarque bien la griffe (Marie), de la cape de velours fripé, du cadenas sur la bouche, de Rachid qui travaille au *Ritz*. On en tirera une série pour la télé, un film. Question d'attitude, je pourrai même dénoncer le clan du Oui et, pour m'expliquer devant les médias, je choisirai d'être filmé dans le grand hall du Musée d'art contemporain. Ça fera bien.

Il y a une femme au bar, cheveux foncés, qui s'entretient avec un Asiatique assis un peu plus loin. Ils boivent de la bière, je pense à *Hiroshima mon amour*. Je l'entends dire qu'elle a été jeune et folle à Nevers. On m'apporte mon potage aux légumes. Des courgettes, du panais, des carottes en morceaux, des tomates concassées flottent sur un délicieux bouillon de volaille. Chose extrêmement simple, mais que je garderai pour mes propres soupes, le chef a ajouté, au moment de servir, un hachis de feuilles de céleri. Cela rehausse le parfum du bouillon et confirme l'appellation de soupe paysanne car le céleri évoque la simplicité de la cuisine campagnarde. Élise, ma deuxième grand-mère paternelle, utilisait beaucoup ce légume, la sarriette également, et elle a influencé toute la cuisine de ses enfants. Je me souviens, alors que j'étudiais en Allemagne, combien il était difficile de trouver du céleri. Fier héritier de ses tics gastronomiques, je devais souvent me rendre au marché de la Karlplatz à Düsseldorf pour chercher le précieux céleri que, moi aussi, j'apprêtais à toutes les sauces. On trouvait quelquefois des pieds rabougris de céleri-rave, durs et d'un vert trop foncé. Mais jamais je n'ai trouvé ce beau pied de céleri gorgé d'eau que l'on mange cru, en tige, comme on mange un fruit.

À quelques tables devant moi deux femmes s'installent. Visiblement, la plus âgée n'est pas satisfaite, on les a assises à une table séparée de l'autre par presque rien, dix petits centimètres. Elles demandent à Christian de les changer de place. La table à côté de moi est libre et, comme je suis seul, il semblerait que ma proximité les dérange moins. Merde! Christian acquiesce à leur réclamation et je me retrouve voisin des deux gribiches. Je suis toujours assis à côté de gens qui ne m'intéressent pas, la mère et sa fille de catalogue, les hommes d'affaires anglophones, les deux homosexuels, la famille trop parfaite. Jusqu'à présent, il n'y a que le type de cinéma qui ait eu une conversation intéressante.

Mes deux voisines se distinguent fortement l'une de l'autre; le moins que l'on en puisse dire c'est qu'elles sont contrastées. La brune, cinquante ans, cheveux courts mal coiffés, vêtement de jersey brun déformé par le temps, l'air de rien mais avec le regard des gens intelligents, et la blanche, cheveux tirés en arrière montés en chignon serré dans une résille de métal noir et décoré d'un nœud de velours noir. Ses boucles d'oreilles sont remarquables. Deux très belles perles baroques montées en pendentifs sont rattachées au lobe par un anneau d'or orné de deux petites sphères également d'or. On dirait une comtesse avec sa femme de ménage. Je ne voudrais pas faire de la sociologie de bouts de chandelles mais on dirait la riche idiote plaignarde, regimbeuse et la pauvre soubrette futée et attentive aux complaintes de sa maîtresse. Elles se parlent en allemand avec cet accent *franken* où l'on roule les «r» comme dans certains quartiers de Montréal. Le profil de la femme riche est parfait, semblable dans sa beauté dure à celui de Schwarzkopf, la *Nazi cunt* comme la surnomment certains de mes amis. Ils ont étudié au Conservatoire national de musique et lui préfèrent Katleen

Ferrier, tellement plus profonde et beaucoup moins suspecte. Ferrier ne chante pas Wolf cependant.

Tiens, ils ont mis des grains de coriandre et de moutarde dans le beurre à l'échalote qui accompagne mon onglet. Ça aussi je vais leur voler l'idée. Bien qu'un peu coriace, la viande est bien goûteuse. Je trempe mes frites dans le beurre fondu en buvant une gorgée de beaujolais nouveau. La vie n'est pas si mal foutue finalement. Malheureusement je ne peux comprendre vraiment ce que mes deux voisines se disent. Le bruit de fond enveloppe toutes les conversations. Le ton monte peu à peu à mesure que le temps passe. Je m'en fiche un peu ce soir, j'en suis déjà à mon troisième verre de vin. C'est ça qui est difficile ici: conserver sa concentration sur ce qui se passe malgré le sentiment de chaleur et de bien-être que procurent l'alcool, le repas, la solitude.

Je me demande bien ce que je pourrais retenir comme épigraphe. Tiens, si je proposais ce passage du début de *Darlinghurst Heroes*: *J'adore manger seul au restaurant, on y est libre d'entendre et de mentir.* Il me semble que c'était à peu près ça, il faudra vérifier dans le livre à mon retour chez moi tout à l'heure. Mais que penseront les gens, un auteur inconnu, pas même un vrai auteur, un auteur de rien du tout a la prétention de se citer en exergue. On ne verra pas l'humour qui se cache sous cet effet narcissique. Il est tout de même étrange que, d'une discipline à l'autre, les interdits soient si différents; ce qui est apprécié en musique et en art peut être défendu en littérature. Lorsque Mozart reprend une phrase d'un de ses divertimenti dans un concerto, on trouve ça intéressant, on parle de continuité, d'homogénéité; lorsqu'un peintre refait pendant cinq ans les mêmes autoportraits on crie au génie et, lorsqu'il ajoute un peu de jaune à son célèbre bleu on parle de révolution. Comprenez-vous, sa palette est transformée, il a mis une goutte de jaune dans son bleu! Je ne parle pas de cet artiste qui vient de réaliser un de ses plus beaux tableaux que moi, si j'avais du fric, j'achèterais immédiatement, ce tableau avec la couronne funèbre, mais du milieu qui l'entoure et qui se gratifie à reconnaître et à posséder une œuvre qui, comme un *trade mark* identifiable au premier regard, devient le signe du pouvoir d'une classe à laquelle on veut appartenir. Pour mon exergue, ça ne se fait pas. Et si, malgré tout, je le faisais quand même, je n'ai absolument rien à perdre. Il faut se tenir loin de nos milieux, de toutes leurs lois, leurs mesquineries. Être délinquants et ne faire que ce qui nous amuse. Être *freak*, oui, c'est moi André Motrin qui le dis. J'entends Michel Goulet ricaner... N'est-ce pas le rôle de l'artiste, à une époque comme la nôtre où tout est standardisé, stérilisé, que de témoigner de la gratuité du plaisir, d'être libre, de porter cette liberté à la face de tous pour qu'ils s'y abreuvent, afin qu'ils respirent un peu. Faire. Le «faire» comme contestation et, à la limite, faire n'importe quoi mais faire quelque chose en deçà des rentabilités futiles. C'est Godard qui disait ça, il y a longtemps. Est-ce vraiment Godard? Je crois que je ne l'ai jamais aussi bien compris que ce soir grâce au beaujolais nouveau! S'opposer par son activité au nivelage général, à l'indifférence commune, à la bêtise de l'inaction, car «faire» c'est la vie, et faire dans le plaisir, eh bien... c'est la belle vie! Voilà que je m'emballe encore. Santé! Santé chers clients de *L'Express*!

Pour fêter ça je commande une tarte au chocolat. Le garçon est déjà parti et je me souviens, trop tard, avoir déjà pris ce dessert. Je viens de tricher pour la deuxième fois sur la procédure que je m'étais imposée initialement. La première fois c'était pour les huîtres qui ne figurent que sur les petits cartons. Mais cette fois, pour la tarte, je plaide mon innocence! Ah oui! Suis-je bête, j'oubliais. J'ai le droit de reprendre le même dessert; c'est pour les entrées et les plats principaux que je me suis prescrit des restrictions. En attendant mon dessert, j'examine les lampes du plafond. Il y en a douze en haut du mur qui sépare la salle du comptoir. Chaque lampe est constituée d'une tige horizontale de chrome, fixée au mur par son centre et terminée à chacune des extrémités par un globe de verre blanc légèrement poussiéreux.

Je mange enfin mon dessert, trop froid, et vient le temps de partir et de plier la nappe de papier. J'espère toujours que le garçon, c'est Bruno aujourd'hui, retirera tout le contenu de ma table avant de me rapporter ma carte de crédit et la facture à signer car ça facilite le pliage; je n'ai pas à tasser moi-même les objets. Je ne veux plus que m'arrive le désagrément de la semaine dernière. Bruno me dit en se penchant:

— Alors, on écrit plus petit aujourd'hui?

Serait-ce le début d'une complicité ou se permet-il d'ironiser?

En pliant la nappe je constate que le dessin de mes notes de ce soir s'organise comme un arbre généalogique. Je trace sur une vulgaire nappe de papier la généalogie de mes soirées. Perplexe, je passe devant Christian pour récupérer mon manteau.

— Eh! Monsieur Motrin, est-ce que ça avance à votre goût?

— Oui, pas trop mal, mais j'espérais une complicité de la part du personnel, c'est tout de même étrange que personne ne me pose des questions.

— Ah non, jamais, pas ici. On ne vous posera jamais de question sur ça. Nous avons tout de même une attitude! On a du style à *L'Express*!

— Mais je trouve les garçons quand même un peu froids avec moi.

— Vous savez, André, on ne peut pas être aussi chaleureux devant un client solitaire que devant un groupe qui fête. Vous devriez venir avec vos amis, comme ça ce serait une façon de briser la glace avec le personnel!

Pendant que je mets mon manteau, un homme à l'air saligaud assis au coin du bar reprend sa conversation avec Christian. Je ne veux pas trop écouter mais j'entends malgré moi qu'il faudra ralentir les activités, qu'après cette dernière entreprise, Christian devrait se retirer du projet. Je n'en crois pas mes oreilles, Christian, l'homme de confiance de Monsieur Villeneuve, une des têtes du trafic de fromage de lait cru! Je ne peux pas le croire. Ainsi Félix, le serveur aux lèvres trop rouges, ce fripon, ce filou, n'en serait pas l'instigateur...

MERCREDI 30 NOVEMBRE

Salade de pourpier et de pommes de terre
Saumon au cerfeuil
Vernaccia di San Geminiano
Gâteau au fromage et coulis de framboises

Lorsque je me présente au restaurant, Franco Vecchio, assis au comptoir, anonymat oblige, paie son addition. Il porte un pantalon de daim roux et une chemise assortie. On ne peut se tromper, l'homme qui a mangé au bar est un homme, un vrai de vrai, l'homme Marlboro.

Encore une fois, Christian place des hommes d'affaires à mes côtés. Il me signale que je ne viens pas assez tard, l'atmosphère est tellement plus drôle en fin de soirée. Au moins, me dis-je, s'il ne m'installait pas toujours à côté des hommes d'affaires, ce ne serait déjà pas si mal. Comme il n'y a pas beaucoup de gens aujourd'hui j'entends mieux. Je pourrai pour la première fois travailler comme je l'avais imaginé. Un des deux voisins a récemment laissé sa femme. Elle habite maintenant chez une copine. Celle-là même avec qui elle est allée à Ibiza l'an dernier, l'ancienne maîtresse de X. Le couple ne semblait pas jouir d'une grande complicité sexuelle. «Tu sais ce que j'aime, dit-il, et ce n'était pas vraiment son genre. Tu l'imagines, rajoute-t-il, en train de faire ça!» Il lance à son copain, un peu par provocation, un peu par dépit: « Tu as bien du courage d'être encore avec ta femme!» Ils passent ensuite à une autre femme, plus jeune, plus exigeante aussi, mais pour elle, confie-t-il, oui, peut-être. Seulement pour elle. Sa vie est beaucoup plus agréable depuis la séparation sauf que ça lui coûte les yeux de la tête. La pension pour sa femme et ses enfants et, comme elle a gardé la maison dans Grosvenor, son appartement à lui dans cet immeuble ancien face au *Ritz*, pas trop loin du bureau, génial, il laisse sa Saab 9000 dans le stationnement du Château et effectue le trajet à pied, ça garde la forme. Il raconte ensuite une partie de chasse avec un P.D.G. de Télé-Métropole. Ils ont tué deux chevreuils. L'homme d'affaires ajoute qu'il les trouve donc beaux avec leurs grands yeux tristes. Des yeux un peu semblables à ceux de la femme «pour qui, oui, peut-être»... La semaine dernière ce fut l'anniversaire de son père. Il prononce «mon vieux père» avec une certaine fierté. À quatre-vingt-quatre ans, le vieux sacripant a bu deux Dry Martini, partagé une bouteille de Gevrey Chambertin pour accompagner le gigot d'agneau et il était encore frais comme une rose à la fin du repas! À son âge il a encore le goût de trousser les jupes de la serveuse, le vieux chenapan. Sous-entendu: tel père, tel fils. Ça se passait à son club, rue Peel. Ensuite, il rapporte un fait divers mais je ne sais pas si je pourrai parler de ça dans mes chroniques. Il semblerait qu'un des vice-présidents de la Banque de Montréal ait été foutu à la porte. Une affaire de deux millions. Je n'ai pas bien compris s'il s'agissait d'une fraude ou d'une erreur quelconque.

J'ai terminé ma salade de patates façon *L'Express*. Elle est servie sur du pourpier bien frais et tout enrobée d'une sauce onctueuse légèrement vinaigrée. Je bois ce vin de San Geminiano que vantait le type du cinéma qui aimait tant l'Italie et auquel je pense parfois. J'aurais dû sauter sur l'occasion car elles ne se présentent jamais une seconde fois. Ce vin un peu vert me plaît, il goûte le printemps et, à la fin du mois de novembre, ça fait du bien. Trois personnes viennent s'asseoir à la table derrière mon don Juan à la Saab, deux jeunes filles avec quelqu'un qui pourrait être leur père ou leur oncle. Elles ont l'air de l'adorer et l'écoutent, captivées, en souriant. L'une d'elles est particulièrement belle. Un sosie de Katharine Hepburn dans *Morning Glory*. D'épais cheveux auburn coupés pareillement avec cette frange ondulée sur le front, le teint laiteux des rousses, les yeux un peu petits mais vifs et espiègles et la bouche, cette bouche à la lèvre supérieure descendante dans les coins, l'exact dessin de la grâce hautaine. Même son port de tête évoque l'actrice américaine. Légèrement inclinée en arrière lorsqu'elle parle et penchée en avant lorsqu'elle écoute, elle donne à son interlocuteur l'impression d'une attention particulière et d'une intelligence vive. Même ses vêtements s'inspirent de l'actrice à tel point qu'une coïncidence apparaît quasi impossible. En effet, elle porte un *twin set* de laine fine caramel sur un pantalon de gabardine grise. Elle tient sa cigarette très haut, le coude appuyé sur la table et lance sa fumée à la verticale en avançant la lèvre inférieure. Elle a du chien!

Ce serait formidable de faire une photographie d'elle pour le frontispice de mon livre. Elle poserait de profil, le visage légèrement remonté, les yeux fixant le plafond comme si elle regardait un amoureux, un filet de lumière les éclairant. Très Hollywood des années '40. Je lui ferais porter une chemise de mousseline claire et vaporeuse, la coifferais, la maquillerais, placerais son visage dans l'angle requis. Je lui offrirais une épreuve pour la récompenser de sa disponibilité et de sa patience. Je fais part de mon idée à Christian qui vient causer avec moi pendant le repas, ce qu'il n'a jamais fait. Je lui dis que je vois, superposé à son visage, une deuxième photographie, celle du restaurant, prise après les heures d'ouverture alors qu'il se trouve vide, depuis l'autre côté de la rue. Christian a compris mon idée et ajoute:

— Le visage de la jeune femme comme une inspiration, comme une muse flottant sur le restaurant désert.

— C'est ça, lui réponds-je, ce visage qui ressemble à un autre à s'y méprendre, comme une métaphore de ce qui se passera dans mon livre, un visage vrai et faux en même temps. Une sorte de visage fictif, un faux visage d'actrice!

Je suis très excité. C'est définitif, elle sera sur ma couverture! Il faut maintenant que je lui demande de poser pour moi. J'ai remarqué qu'elle traduisait le menu pour son amie. En anglais, donc, je lui écris un mot sur le coin inférieur gauche de ma nappe, le droit étant déjà presque rempli de mes notes. Lorsque j'utiliserai mes nappes pour en faire des tableaux, celle du 30 novembre sera amputée d'un de ses coins.

Mademoiselle,
As you noticed, I'm writing on my tablecloth. It's because I'm writing a book on/about L'Express. I'm acting like a kind of

spy, listening to conversations, hoping for signs of happiness, and I would like to ask you to pose for the cover of this book, your visage overimposed on the image of the empty restaurant, as a vision of grace floating on the scene.

It isn't a game, please call me so we could talk about this project. Don't hesitate to contact my Editor to check the seriousness of my work.

André Motrin

Voilà, mon mot est rédigé. Maintenant, comment le lui faire parvenir. Bruno, le garçon assigné à ma section pourrait bien l'effectuer pour moi. Cependant, je veux que ça ait lieu après mon départ car je ne pourrai pas affronter son refus. L'émissaire fera écran sur ma lâcheté. En fait, je n'ai pas du tout besoin qu'elle me voie, tout apparaît dans le billet, je ne m'attends pas à une réponse immédiate de toute façon, la presser aurait pour effet de l'effrayer. Non, je crois que le lui faire parvenir par Bruno s'avère la meilleure solution. C'est quand même bizarre cette gêne, moi qui ai demandé à des hommes, dans la rue, de purs inconnus, des hommes trois fois ma taille, de poser pour moi, nus, comme ça, sans préambule. Et puis n'ai-je pas toujours reçu des réponses positives? Il m'est même déjà arrivé de voir dans le gym un homme découpé comme une statue antique qui bandait sous la douche, ça arrive parfois, comme ça, la chaleur du jet, la douceur de la mousse, quoique dans son cas la raison de cette érection ne devait probablement pas être uniquement calorifique, j'ai mieux connu le type par la suite. Aussitôt l'engin spectaculaire aperçu qu'un nouveau projet de photographie a surgi dans mon esprit échauffé. Il faut bien que ces poussées libidinales soient investies, que ça s'infiltre dans le travail, que ça gicle ailleurs... Par cette belle sécrétion de la verticale m'était donc venue l'idée d'un nouveau triptyque. J'imaginais déjà la photo d'un texte où pourrait se lire un épisode de voyage en Italie juxtaposée à celle d'un fragment de carte géographique de l'Italie et à une troisième photo du corps de mon jeune Priape étendu lascivement sur le dos, le sexe érigé devant mon fond de phosphore, comme s'il s'agissait d'un paysage. Le corps comme une campagne vallonnée de Toscane avec son pénis fièrement dressé, planté au sud de l'abdomen comme ces cyprès qui savent créer une si belle rythmique dans le paysage italien. Alors, tout en me séchant dans le petit vestibule aménagé à cette fin dans les locaux sanitaires du YMCA du centre-ville, je lui ai demandé de poser pour moi. Il a accepté. Nous nous sommes donné rendez-vous quelques semaines plus tard. Il est arrivé à l'heure et je lui ai demandé de se dévêtir et de s'étendre sur le dos, au pied de cette immense bâche recouverte de poudre de phosphore nauséabonde (malheureusement, cette substance sent les œufs pourris, je m'en excuse toujours auprès de mes modèles). Je l'ai ensuite prié de se masturber pour que son pénis soit bien dressé, verticale noire se découpant sur le fond turquoise. Ce fut vite fait, le garçon n'étant victime d'aucune inhibition, bien au contraire, et j'ai appuyé sur le déclencheur. Ce procédé exige un temps de pose très long, si bien que son érection n'a pu tenir jusqu'au bout. Lorsque j'ai fait tirer la photo, le superbe pénis avait disparu, il ne restait qu'un quelconque moignon, petit et noir, comme un pauvre et sombre bourrelet à la base du ventre. Cependant, à bien examiner l'image, on voit l'organe apparaître, fantôme turquoise de cette virilité fugace. J'ai intitulé ce projet *Le mirage photographique*. Je ne comprends pas pourquoi ça m'est si difficile de demander à la jeune fille un portrait pourtant tellement pudique.

On apporte mon saumon au cerfeuil, un plat que je connais bien, un de mes favoris. J'adore le saumon et il est toujours, à *L'Express*, d'une très grande fraîcheur. Pour équilibrer la chair somme toute un peu grasse du poisson, on l'accompagne ici d'une purée verte légèrement acidulée, mélange de pommes de terre et de cerfeuil et peut-être d'oseille, bien que si c'était le cas, on le mentionnerait. On proposerait saumon au cerfeuil et à l'oseille. Un beurre blanc nappe le tout. C'est crémeux, ça dégourdit les papilles, ça sent bon. J'en ai l'eau à la bouche juste à regarder mon assiette. Si on ne devait manger qu'une seule fois à *L'Express*, on devrait prendre le saumon au cerfeuil. Et c'est quelqu'un qui vient d'une ville portuaire qui l'affirme.

Tout le reste de mon repas se passe à chercher la façon de remettre mon message à la jeune fille. Cette demande aurait-elle l'air suspecte si un tiers, Bruno en l'occurrence, la lui portait? Penserait-elle qu'il s'agit d'une opération de racolage? Inquiet, j'en fais part à Christian. Il me conseille de le lui porter moi-même comme ça, sans manières. C'est toujours la meilleure façon conclut-il. Finalement, je pense qu'il a raison. Mais à son air canaille, je me demande s'il ne dit pas ça pour assister à ma déconfiture. Je crois qu'il trouve ma nervosité exagérée. Christian ne peut pas comprendre mon agitation. D'une part, il y a certes l'enthousiasme de la découverte de ma photo de couverture mais, d'autre part, il y a cette inquiétude continuelle qui survient pendant mon travail. Car je travaille à *L'Express*, je ne fais pas qu'y manger. Il faudrait bien qu'il comprenne. Quand j'œuvre à mes choses, je tombe très rapidement dans cet état second, dans cette sorte de fébrilité qui m'assaille sans répit. Alors, lorsque je mange seul à ce maudit restaurant, je m'imagine mille histoires toutes plus saugrenues les unes que les autres, souvent paranoïaques, tenant de cette insécurité propre à la gestation artistique. Christian ne peut pas savoir ce qui se passe dans ma tête. Cette superposition d'images pour le frontispice *doit* correspondre au contenu du livre, à sa structure. C'est essentiel, c'est vital. Les couvertures de mes livres ne sont peut-être pas si belles que ça, mais elles me ressemblent et sont fidèles au contenu. Contrairement à celle du livre de Ian, beaucoup plus «*in*» graphiquement, les miennes sont plus près du texte. Enfin je l'espère.

Depuis le début de ce projet, mille petits détails me préoccupent. En plus d'être obsédé par les réactions éventuelles des clients et des employés, par la teneur globale de mes chroniques, je sens rôder autour de moi un mauvais génie, celui des influences peut-être mal assumées. L'ombre de Sophie Calle, cette photographe qui comme moi écrit aussi, hante *L'Express*. C'est Hervé Guibert qui m'avait parlé d'elle en 1984 alors qu'on prenait le thé dans un salon de la rue des Rosiers en revenant de chez *Agathe*

Gaillard où se tenait une exposition de ses photographies. J'ai lu ensuite ses récits photographiques, *Hôtel, Suite vénitienne*, etc., avec une passion soutenue. J'ai eu la chance de la rencontrer il y a quelques années. Elle est venue par la suite manger à la maison, des pâtes à la crème et au prosciutto, une paella aussi car elle était folle d'un beau torero espagnol, celui-là que Catherine Deneuve avait choisi comme partenaire pour une séance de photographies parues dans le magazine *Marie-Claire* et je voulais lui faire plaisir en lui fricotant ce plat d'Espagne. C'est lors de ce dernier dîner qu'elle m'a appris la maladie d'Hervé. Jean-Luc Monterosso de la Maison européenne de la photographie me l'avait laissé entendre lors du premier Mois de la photographie de Montréal en 1989 mais je n'avais pas voulu le croire. Après la rue des Rosiers, je n'ai jamais revu Hervé sauf un soir, à la télé, à l'émission de Bernard Pivot où il a eu le génie de ne parler que de futilités alors qu'il venait de publier *À l'ami qui ne m'a pas sauvé la vie* et qu'il se savait condamné. Il a eu cette élégance absolue. Je tente donc d'analyser en quoi mon projet s'écarte de ce que Sophie aurait pu faire mais, avec ce vin et cette fille de couverture, j'ai le cerveau en bouillie. Ça ne me dérange pas de subir des influences mais je tiens à les envisager de front. Essayons de ramasser nos idées. Comme moi, Sophie Calle se met en scène dans ses projets.

Visuellement, je pense qu'à ma place elle proposerait des photographies du restaurant plein de clients. On la verrait assise de dos, quelqu'un la photographierait depuis la fenêtre, un détective payé pour cela, et on pourrait alors deviner, en regardant les gens qui l'entourent, de qui elle parle. Le texte serait bref et confiné à un rôle de légende. Or, moi, je ne ferai pas de photographies, mais des tableaux. À moins que... Dans les deux cas, on assiste à une sorte de distorsion du documentaire, qui oscille entre le réel et le fictif. Mais il m'apparaît que ma préoccupation principale, cette description de la vie présentée comme absolument banale, comme un long et futile babillage parfois traversé par de petites comètes de profondeur qui viennent faire basculer le récit, le perforer, le creuser de trous noirs, relève de mon travail propre. Ces traversées lumineuses devraient produire sur le texte un effet comparable au punctum barthien dans l'espace photographique, elles devraient agir comme une épice et relever la fadeur du plat. Je crois que cette tension provoquée par la présence de ces pépites de densité illustre ma vision personnelle de l'existence. N'est-ce pas comme ça dans la vraie vie? Ouf, vivement une dernière gorgée de vernaccia!

Après mon dessert, Bruno m'offre un digestif. Ciel! que se passe-t-il? Christian aurait-il trahi notre pacte du silence? Ou le patron, ayant reçu ma première réclamation de remboursement (on s'est arrangé ainsi: je paie et il me rembourse; comme ça, ni vu ni connu), a-t-il pris conscience de la réalité du projet et demandé au personnel d'être réellement gentil avec moi? Ou serait-ce parce que Bruno m'aime bien, tout simplement? Quoi qu'il en soit, je décline son offre prétextant mon désir de quitter avant que la jeune fille n'ait terminé son repas.

Je paie. Je me lève, cache ma nappe dans mon blouson, prends mon courage à deux mains et me dirige vers la table de mon modèle anticipé. En m'excusant d'interrompre leur dîner, je lui remets mon papier plié en deux. Elle le prend et, sans me regarder, commence à le lire immédiatement. Je les salue aussitôt et me sauve, cramoisi, sans dire bonsoir à Christian ni à Bruno.

Le lendemain soir, vers vingt-deux heures, la jeune fille m'appelle. Elle est à l'aéroport. Malheureusement, elle ne peut être mon modèle car elle habite Sudbury, en Ontario. Elle était de passage à Montréal pour deux jours seulement, en voyage d'affaires. Non, elle n'a pas été offusquée par ma requête, plutôt flattée même. Je m'informe de son nom, elle s'appelle Line. Son accent est très désagréable. Il n'a rien de la grâce de son allure, de ses gestes, de son visage. Je suis déçu. Je lui en veux d'avoir une telle prononciation. Ça m'enlève complètement le goût de faire son portrait. On pourrait peut-être entendre ses diphtongues nasillardes au travers des sels d'argent. J'espère pour elle que son anglais est meilleur et qu'elle n'épelle pas son prénom comme une danseuse le ferait, L-y-n-n...

MARDI 6 DÉCEMBRE

Mousse de foie de volaille aux pistaches
Bourgogne Passetoutgrain Faiveley
Rognons de veau sauce moutarde
Dessert glacé aux griottes et aux pistaches

Ce soir, Christian m'a demandé si je ne voulais pas, pour une fois, manger au comptoir. Je lui ai objecté que je n'y aurais pas de papier pour consigner mes notes. Au comptoir de *L'Express*, on mange directement sur la surface d'acier inoxydable. Il m'envoie encore dans la section fumeurs. Ayant cessé de fumer depuis un an, je supporte difficilement la cigarette, il faudra que je le lui mentionne la prochaine fois, au moment de réserver ma place. Une femme est seule à ma gauche. Elle prend des notes sur de vieilles enveloppes de factures. Je me demande si cette femme ne m'a pas dérobé mon idée car, comme moi certains soirs, elle écrit et écrit encore en fumant des cigarettes, des Rothmans, qu'elle s'enfile l'une après l'autre, avec ce sentiment d'urgence que je connais bien. C'est beau l'inspiration. Enfin... D'autre part, un couple plutôt sympathique mange à ma droite. L'homme est français, bien bronzé, mais sa peau garde les marques de l'acné juvénile, une espèce de Bob Morane de cinquante ans et elle, genre intello, une femme brune, maigre et assez élégante. Elle porte de gros bijoux africains en vieil argent sur un tricot de jersey de laine anthracite. Son ami lui parle et sa grosse main brune enserre la sienne, petite, maigre et blanche.

Je n'anticipe rien pour ce soir, on verra, je profite pour une fois de cette absence complète de stress qui me procure ce merveilleux sentiment de légèreté. Je commence cette soirée en client régulier, je ne pense pas à mes chroniques. À la limite, j'inventerai tout lorsque sera venu le temps de la rédaction. Je prends de grandes respirations, j'ai faim. J'ai justement choisi un plat un peu lourd, idéal pour les soirs d'hiver. Bref, je ne m'intéresse pas trop à mes voisins et, en attendant ma mousse de foie et en buvant lentement, par petites lapées, un verre de bourgogne, je lis un livre d'Hervé que je n'avais pas terminé lors de sa parution, *Mauve le vierge*. Un homme vient s'asseoir avec ma voisine de gauche, celle qui écrit comme une damnée.

Elle: Jean, t'as pas de respect. (...) deux fois (...) Fais ce que tu veux, tu fais toujours ce que tu veux de toute façon. T'as pas de respect, Jean. Pas un goutte de respect!

Lui: O.K., O.K. J'suis un peu en retard. On s'énerve pas!
On se calme!
Elle: Comment ça on s'énerve pas, comment ça on se
calme! Ça fait trois quarts d'heure que j'attends, Jean. Trois
quarts d'heure, mais ça tu t'en fous, t'en as rien à faire,
trois quarts d'heure que j'attends, Jean, que je t'attends
Jean, comprends-tu? Maudit que c'est donc difficile avec
toi, c'est toujours à recommencer. T'as pas de respect. (...)
C'est difficile (...) C'est ça la vie (...)

Je comprends maintenant, elle n'écrivait pas de
nouvelles *Chroniques de L'Express*, elle prenait des notes,
elle faisait sur papier le procès qu'elle lui tient en ce
moment. J'avais bien imaginé que ça arriverait un jour,
une belle chicane de ménage, j'en avais même rêvé mais
je n'avais pas envisagé qu'elle se déroulerait à quelques
centimètres de moi. Je me cache derrière le vierge mauve.
Comme j'ai bien fait de sortir avec lui ce soir. Un jeune
vierge, ça peut être utile si on sait s'en servir...

Lui: Fuck you! J'étais pas là, c'est pas plus grave que ça!
Elle: Pas plus grave que ça, tu t'en tabarnak, Jean. Veux-
tu j'vas te le dire: Tu t'en tabarnak en sacrament Jean. Ça
fait une heure que j'attends pis tu me dis fuck you? Non
Jean, tu t'en sortiras pas d'même, pas c'te fois-ci. Une
heure, Jean. Une heure!

Lui: Pas si fort, ciboire, pas ici, tu vas pas me faire une de tes maudites crises, ici, à L'Express!

Elle: Y'a pas d'autre façon, tu comprends jamais. Pis fais pas tes beaux yeux. Tu le sais ben que je t'ai dans la peau, mais là Jean, ça marche pas. Ça marche pu.

Cette dispute me rappelle cette chanson de Barbara: *J'en ai vu comme nous qui allaient à pas lents / Et portaient leur amour comme on porte un enfant / Ils tombaient à genoux dans le soir finissant / Je les ai retrouvés, furieux et combattants / Comme deux loups blessés que sont-ils maintenant...* Malgré l'intenable de la situation, l'homme en retard est plutôt exemplaire dans son silence à peine entrecoupé au début de «fuck you» et maintenant complet, un silence torride et blanc. Sous sa rage, il tente malgré tout de détendre l'atmosphère en souriant comme un benêt.

Le ton maintenant franchement animé fait se retourner les clients, même ceux, plus loin, de la section non-fumeurs. Les garçons, le grand Luc en particulier, ne savent pas trop comment réagir, ils attendent, visiblement contrariés. Quant à moi, à part ma crainte que la femme hystérique ne découvre le script de leur théâtre d'amour et de guerre que je trace sur ma nappe — elle pourrait bien me tirer les oreilles, me crever les yeux, exiger que je lui rende l'inscription de sa dispute et je ne saurais plus la reconstituer — je demeure indifférent à leurs problèmes, je n'éprouve aucune empathie, on dirait que je n'ai pas de cœur, le pitoyable de la situation ne m'affecte pas. Christian a remarqué une ébauche de sourire sur mes lèvres alors que j'écrivais. Il a compris que je tenais quelque chose. C'est le patron qui ne sera pas content, je vais déblatérer contre ses clients...

Je me retourne un peu vers mes voisins de droite, pour qu'ils s'imaginent que je n'écoute pas la conversation de ceux de gauche. Pour bien mener un projet comme le mien, pour n'éveiller aucun soupçon, il faut se contraindre à de multiples supercheries, il faut tricher un peu. Le livre qu'on fait semblant de lire en est une, le miroir qu'on utilise comme périscope en est une autre. Mais il faut développer toute une gestuelle de l'hypocrisie: se gratter le lobe droit pour pouvoir regarder à gauche, s'appuyer la tête sur la paume de la main, faire semblant d'être dans la lune en écarquillant bien les yeux, prendre un morceau de pain, le beurrer lentement, trancher sa viande avec soin, regarder les allées et venues des garçons au loin alors qu'on écoute tout proche, laisser tomber un ustensile, sa serviette de table. Il ne faut négliger aucun détail. La moindre anicroche pourrait trahir l'anonymat indispensable à la tenue d'une telle investigation. Le regard de la femme de droite croise le mien puis glisse sur ma nappe, déjà recouverte du compte rendu de la dispute. Je déplace la bouteille de vin sur mes notes, la femme élégante a compris et cesse de reluquer mes transcriptions. Ne prenant aucun risque, je poursuis mais en allemand cette fois.

Elle: Tu ne trouveras rien, Jean, tu ne la trouveras pas la belle phrase pour me faire oublier. Avec tout ton charme, Jean, tu ne trouveras rien. Même moi, si ça continue, tu ne me trouveras plus. Moi, la fille à qui on peut tout faire endurer, celle qu'on pitche d'un bord pis d'l'autre. J'ai attendu une heure, Jean.

Elle prononce le nom de Jean comme si elle mordait dedans, en serrant les dents. Sa bouche doit en être déformée car on entend une grimace dans le J qui chuinte. On ne distingue plus que ce J hargneux, plein de la bave épaisse de la rancœur. À la table de droite, la femme dit que c'est beaucoup d'argent, que c'est «son» argent après tout. J'espère qu'ils ne s'y mettront pas eux aussi... Mon livre bouclier est trop petit tout à coup pour me protéger simultanément de la droite et de la gauche.

Elle: Moi, Jean, j'mets mon cœur sur la table, tous les jours... J'me saigne à blanc sur le papier.
Lui: Moi aussi quand même...

Elle: Mais moi, Jean, j'mets mon *cœur* sur la table, mon *cœur* Jean. Émotionnellement. J'me mets à genoux (...) Ah! pis restez donc dans vos virgules. Pis dérangez-moi pu. J'm'organiserai toute seule. Oh! chu capable, Jean, ça sera pas la première fois que j'me fais flusher. Chu capable, Jean... À chaque fois que j'ai des problèmes, tu m'abandonnes.

Elle commande une autre bouteille de vin. «Trouver la belle phrase pour oublier», «se saigner à blanc sur le papier», «rester dans les virgules», voilà de bien jolies images, des images littéraires. La pauvre femme à bout de nerfs doit sûrement être une auteure. Il faut être une grande écrivaine pour penser aux images dans de telles circonstances...

L'homme de droite me demande mon crayon. Il dessine à sa femme le plan d'un terrain dans une île du Sud où il rêve de construire une maison. Je me demande s'il veut la bâtir avec son argent à elle. La route s'est affaissée lors d'une inondation survenue il y a cinquante ans et n'est toujours pas réparée. «Je te le dis, c'est d'un isolement merveilleux, lui susurre-t-il. À dix-huit kilomètres du village!... Là c'est une falaise, et là aussi; impossible donc de construire dans ce coin-là. Ici, c'est la plage... On sera littéralement dans la mer, entre les deux falaises.» Dommage que je ne donne pas de titres à mes chapitres, ce serait bien ça: «Entre les deux falaises». C'est exactement où je me trouve, à *L'Express*, comme entre deux mondes, comme entre deux abîmes et je n'ai même pas eu à me déplacer sous les tropiques. Mes rognons sont déjà terminés et je n'ai même pas pensé à les goûter. Mes voisins de gauche en sont encore à l'apéro. Je commence à trouver qu'ils exagèrent. Ils ont gâché mon souper. C'était peut-être drôle au début mais ça commence à faire...

Elle: Faut que t'arrêtes de boire, Jean. T'es débile à midi, à cinq heures t'es pu parlable. Faut que t'arrêtes, tu dis n'importe quoi dans c'temps-là. Le matin t'es si fin Jean, si intelligent. Pis l'soir, tu cries après tout le monde, tu cries après moi, Jean. Faut que t'arrêtes de boire. (...) Tout le monde te trouve génial, même quand t'es saoul. Même quand t'es saoul... J'le sais, ça me fait assez chier... À midi t'es débile pis on te trouve génial! Fais quelque chose simonak!

Lui: Tu le sais ben que j'serai jamais capable. J'ai entendu dire qu'il y a une place où les deux y vont, ensemble...

Elle: Jean, moi je suis prête. N'importe quand, je suis prête. J'ai pas de problèmes, moi, avec la boisson. Toi t'en as un.

Moi, j'peux arrêter. N'importe quand. Quand tu seras prêt dis-moi-le, j'vas te suivre. C'est facile pour moi. Pour toi j'pense pas mais t'as rien qu'à te décider, on va faire ça, ensemble. Chu prête en astie. Tu le sais que je t'aime, Jean. On va le faire ensemble. Fais-moi signe. Tu le sais. Je t'aime. Jean.

La femme de droite m'observe et me dit que la tentation de me lire est très forte. Je réponds qu'elle doit s'en abstenir. «Il faut passer par-dessus sa curiosité.» L'homme qui l'accompagne s'informe si je prépare un cours à cause du livre que je lis, à cause de tout ce texte sur ma nappe. Je me sens pris au piège. Pour la première fois depuis le début de mon projet on veut savoir ce que j'écris mais la question ne vient pas des garçons comme je l'aurais espéré mais plutôt, comme je l'appréhendais, des clients, de ceux-là même dont je m'étais approprié le propos, le regard, l'apparence, à qui j'avais ravi l'intimité. Je ne trouve pas de subterfuge pour me sortir de mon pétrin, je suis las, la dispute des voisins m'a carrément épuisé. À la guerre comme à la guerre, je rends les armes, j'avoue. Je divulgue tout. Je parle des voisins de gauche, je montre les notes, les bouts de phrases. J'expose mon projet. La femme trouve ça drôle. Elle n'émet aucun commentaire sur l'incroyable indiscrétion de mon entreprise. Elle trouve ça *drôle*. Je suis blessé. Intéressant sans doute, suspect probablement, drôle jamais. Je ne veux pas faire un livre drôle, je veux peindre une fresque d'un certain milieu montréalais, il ne faudrait surtout pas rire à la lecture de mes chroniques, pour qui se prend-elle, qu'a-t-elle fait dans la vie pour trouver ça drôle? Alors, comme pour me venger du peu de considération qu'elle porte à mon livre, jouant le tout pour le tout, je lui dévoile les phrases qui la concernent directement. Ça la fait rire. Non, elle n'est pas choquée. Elle a-do-re les artistes. Elle aussi voudrait faire de la photographie, mais comment mettre en images toute cette vie, toute cette profondeur qu'elle voit et qui, si elle le pouvait, résumerait si bien, et d'une façon tellement plus efficace que le simple commentaire, les gens qu'elle rencontre grâce à son travail. Nous parlons de Cartier Bresson, un nom de photographe lancé comme ça mais qui devrait correspondre à sa conception de la photographie. Elle me décrit un portrait de Dior datant des années cinquante qui l'avait tant surprise quelques années auparavant. «La photo peut capter l'âme et la rendre au spectateur encore plus facilement que la peinture», dit-elle. J'en déduis qu'elle travaille dans le domaine de la mode ou quelque chose du genre mais elle m'apprend qu'elle donne des consultations dans les pays du tiers monde. Elle sort de son sac un bracelet d'ivoire et de cuir. Un jour, un jeune garçon africain la voyant regarder régulièrement sa montre commence à l'imiter et regarde, lui, son bracelet. Elle décèle dans ce geste une telle fraîcheur qu'elle lui offre sa montre, une simple Timex m'avoue-t-elle en rougissant, et le jeune garçon lui tend son bracelet d'ivoire et de peau d'antilope. Quelle aubaine! dit son sourire candide...

Je veux en connaître davantage sur ses voyages, ses expériences merveilleuses, ces pays du bout du monde. En fait, j'ai découvert un bon filon pour mon livre et ça risque de transformer ce chapitre somme toute plutôt sordide en quelque chose d'exotique, alors j'en mets, j'en rajoute, j'espère qu'elle va s'ouvrir à moi. Finalement, elle me narre une très belle histoire et moi qui voulait utiliser cette femme, exploiter sa vie et en faire quelque chose de particulier comme une photographie de voyage, d'étrange comme les plaintes des animaux sauvages, en extraire un détail savoureux, coloré, parfumé, mystérieux comme un mirage au milieu du désert, je suis soudainement pris de court. Elle me raconte qu'elle est allée un jour dans un village extrêmement reculé du Zimbabwe où l'on n'avait jamais vu de blancs. On avait convoqué une réunion extraordinaire au cœur du village pour discuter d'un problème avec la compagnie qu'elle représentait. Au pied d'un baobab, un traducteur l'accompagnait, elle, la femme blanche qui s'entretenait avec le grand chef et, autour d'eux, les anciens, puis, en cercles concentriques les hommes et ensuite les garçons. Plus loin, les femmes et les fillettes. Le grand chef a demandé à cette étrangère, cette inconnue qui venait d'au delà du septième village, s'il allait bientôt pleuvoir. Elle devait le savoir. «Les semis sont desséchés, déplore-t-il, les villageois ont soif, ce sera bientôt la famine, la maladie, la mort.» La jeune femme à la peau couleur de lait de chamelle a avoué ne pas savoir. Malheureusement, même par delà les sept villages, on ne savait pas ces choses-là. Cependant, son nom, si on le traduisait, signifiait mouillé et elle souhaitait du plus profond de son cœur que ce nom soit comme un présage de pluie, un augure afin que le ciel apporte l'eau essentielle. Un peu plus tard, le chef a invité l'étrangère au nom si beau à venir sous sa hutte partager la galette de l'amitié. À peine s'est-elle assise sur la terre battue de la hutte que le vent d'ouest s'est levé, que le ciel s'est obscurci et qu'il est tombé sur le village desséché une pluie fraîche, parfumée comme du lait de chamelle.

...Voir sans être vu en essayant de regarder à travers les bouteilles, en utilisant le relais des miroirs. (p.132)

LUNDI 5 JUIN

Os à moelle
Ravioli
Bourgogne Passetoutgrain
Tarte aux fruits, allongé déca

J'ai tellement hâte ce soir d'aller manger à *L'Express* que j'en oublie presque d'apporter *L'Invention du paysage* d'Anne Cauquelin. À chaque fois j'anticipe avec fébrilité ma soirée au restaurant. Je ressens la même agitation qu'avant les voyages, la même impatience que devant le préposé aux billets et bagages, la même hâte qu'au cinéma ou au théâtre, la même excitation qu'avant d'entrer en boîte, la même nervosité qu'avant un examen... Une fébrilité qui a trait au travail et non pas au restaurant car finalement je suis un peu las de cette procédure. Mais l'idée de travailler, au delà de celle du projet lui-même, m'exalte. Une exaltation qui se gonfle par elle-même, libérée de la faim, du goût, de la gratuité, l'exaltation du travail pour le travail. Avant de me rendre à *L'Express*, je ressemble au chirurgien qui scande ses ordres en s'excitant du son de sa propre ordonnance: pinces! couteaux! scalpels! bistouris! chant diabolique qui résonne sur les murs de faïences et qui lui revient comme un murmure grisant. Je lancerai aussi des mots sur ma nappe et j'essayerai d'en faire une chanson.

Je passe invariablement par les rues Hutchison et Prince-Arthur, le carré Saint-Louis puis la rue Saint-Denis. Je connais si bien le chemin, l'empruntant depuis douze ans, qu'il ne m'offre aucune distraction susceptible de me détourner de mon projet. Les chroniques obligent ce trajet, cette régularité. Parce que toujours le même, ce chemin transforme en événement ce ciel lourd comme un velours anthracite rehaussé des sequins d'or des réverbères. La nuit tombe sur le carré Saint-Louis. Saurai-je me souvenir de cette épaisseur particulière de l'obscurité, de la ponctuation régulière de la lumière jaune enchâssée dans les globes de verre des lampadaires? Je me demande si la moiteur de ce soir de juin déteindra sur tout le chapitre ou bien si l'écriture la convoquera, à rebours. Adviendra-t-il durant la soirée un événement qui évoquera cette chaleur humide, cette lumière ambrée? Voudrai-je les recréer? Y aura-t-il un déclencheur pour rappeler les sensations du trajet au cœur même de la soirée. Alors je tente de me souvenir de tout ce que je vois, entends, respire mais chaque odeur, chaque bruit, chaque détail est aussitôt remplacé dans ma mémoire par un autre. Il faudrait prendre des notes le long de cet itinéraire. Commencer dès le départ de la maison, transcrire le parcours, ce long L qui m'amène à *L'Express*. Décrire les jeunes étudiants de McGill qui se rendent dans les boîtes du boulevard Saint-Laurent, leurs voix trop fortes, leur beauté molle, raconter les clochards rivés au coin de la rue devant le guichet automatique et qui me quêtent des sous, reparler des terrasses de la rue Prince-Arthur qui dégorgent de banlieusards et de la triste mélopée de la joueuse de ruine-babines psalmodiant sa misère sur les brochettes de mouton et les rouleaux de printemps. Tricher encore un peu plus. Étendre le récit statique d'une soirée au restaurant à celui, plus mobile, d'un trajet. Comme un raccourci de la vie elle-même. Naître et mourir. Partir d'un point et se rendre à un autre. Une vie. Un trajet parcouru dans le sens de la lecture, parsemé de boulons, de petites sphères de sable, de réseaux maigres, de feuillets déchirés, bouchonnés. Une surface entendue depuis la gauche de l'image jusqu'à sa frontière de droite, animée par les traces des vers de mer dans la vase, une surface ou un trajet, puisque c'est la même chose, comme l'exacte réplique de l'existence, avec au centre une seule tache, cette lueur jaune cadmium rompant l'obscurité de la nuit: le dîner au restaurant. Sans autre signification que celle d'une halte, un mirage, un opium sur la nuit. Il serait donc question de l'exaltation des transits.

Comme d'habitude, je choisis le côté de la table où je m'assoirai. Il ne faut pas se tromper, le chapitre en dépend. J'opte de m'installer face à la rue afin d'inclure dans ma ligne de tir ce gros voisin qui complète son repas avec une tasse de lait chaud. Il accompagne une femme joufflue. À travers la rumeur de la salle me parvient leur discussion. J'entends toujours très mal à *L'Express*, les propos nous arrivent déformés, retournés, estropiés. Encore une fois, je crois mes voisins Allemands. Non, ce sont des Français. La solitude et la cacophonie conjuguées me suggèrent invariablement cette langue allemande si terrible du temps de mes études à Düsseldorf. Là-bas, rien ne pouvait me divertir de moi, aucune réclame, aucun panneau publicitaire, aucun film, aucun journal, aucune conversation dérobée sauf certains mots que je comprenais et qui me faisaient mal: *Schnell, Halt, Verboten, Ausländer, Scheiße.* Depuis, lorsque je me retrouve seul et rendu sourd par le bruit des choses, l'inaudible sonne allemand, *es klingt Deutsch immer und immermehr.* *L'Express*, c'est aussi un peu l'exil.

Comme toujours, je scrute les gens installés au bar grâce à leurs reflets dans le miroir. J'espère des gens connus qui agrémenteront mon chapitre, qui rempliront la fonction décorative des olives farcies sur les canapés, du cresson dans l'assiette de viande grillée ou de la crème anglaise autour des glaces italiennes. Ce soir, je revois Jim Cormoran avec son sempiternel béret noir et plus loin, la petite Julie Steufler. Drôles de canapés...

Le couple de présumés Français vient de partir. On rapproche les tables pour placer huit hommes d'affaires. Étrange race que la leur. Ils portent tous des vestes marine sur des chemises bleu clair ou rayées bleues. Trois me sont sympathiques, un gros façon Garon, un long maigre aux paupières lourdes, le teint olivâtre, proustien comme dans le célèbre tableau de Jacques-Émile Blanche, et un anglophone trop rouge. Voilà que j'imagine leur vie sexuelle.

Le gros loge avec sa mère dans un appartement tout en longueur de la rue Saint-Hubert. Une vieille mère sèche, acrimonieuse, arthritique qui le domine malgré sa petite taille. Il occupe la chambre du fond. Le papier peint au motif de lierre décolle par endroits. À la tête de son lit de fer, son lit d'enfant, un simple matelas posé sur des ressorts, il a caché sous un pan de papier déchiré la photographie d'un garçonnet nu recevant la fessée de sa mère, nue elle aussi. Le fond est quadrillé, il s'agit d'une photographie de Muybridge, une carte postale achetée en cachette dans une gare de Chicago. Une image divisée en douze cases, chacune captant un fragment du mouvement de la fessée douze fois décomposée. Douze fois plus savoureuse. Il apprécie de cette image le quadrillage du fond, la sensation d'ordre et de netteté qui s'en dégage, comme si le garçon était puni de ce que son petit corps ne coïncidât pas avec la belle rigueur de la grille, ses courbes impubères niant les tracés du fond qui les exaltaient. Il voit sur les petites fesses blanches de la photo les nuances de rose puis de rouge amenées peu à peu par l'afflux sanguin. Il imagine l'enfant se débattant, l'entend même supplier et gémir de sa jolie voix de soprano, l'image grise se colore de rose et puis... plus rien. Le souffle court, honteux et soulagé, il rabaisse le morceau de papier peint jauni au motif de lierre.

Le long maigre, quant à lui, fait invariablement appel aux services de la belle Trishia, une fille de chez *madame Irène* établie rue Mackay, à trois rues de la banque. Il passe par les ruelles pour que personne ne le reconnaisse. Contrairement à ses confrères, il ne prend jamais de rendez-vous à l'heure du lunch. Il préfére, admet-il, la solitude et un simple sandwich qu'il mange calmement dans un des parcs du centre-ville, celui qui ceint la cathédrale, le square Dorchester, le petit jardin de l'église Saint George qui fait face à la gare Windsor. Il adore, l'hiver, fréquenter les concerts publics donnés par de petits étudiants, à midi à l'église Saint James, à la salle Tudor chez *Ogilvy* ou encore au Redpath Hall. Vers midi moins dix, il ferme ses livres, range sa plume dans son étui de cuir, replace la pile de documents en la réalignant sur les coins de son pupitre, sort de son tiroir central un petit miroir d'écaille et un peigne assorti et refait sa coiffure. Il quitte son bureau en saluant sa secrétaire. En passant devant le kiosque du père Ménard, il achète le *Wall Street Journal* et sort dans la rue en coupant à gauche. Il marche jusqu'à la rue Drummond qu'il emprunte pour quelques mètres avant de s'engager dans la ruelle de service. Il a réussi une fois de plus à se rendre chez *madame Irène* sans être aperçu de quiconque. Ce qui est bien, chez *madame Irène*, c'est que, si on respecte l'horaire, on ne rencontre personne, les rendez-vous étant attribués par intervalles de dix minutes. Ainsi notre homme maigre peut s'asseoir confortablement dans le hall, se verser un verre de porto et attendre la belle Trishia qui ne saurait tarder. Elle aussi est ponctuelle. Et très savante... Les murs du hall chez *madame Irène* sont peints bordeaux. On a employé le noyer sombre pour les boiseries finement travaillées. Les appliques lumineuses sont recouvertes de petits abat-jour de papier japon ambré dans lequel sont emprisonnées des fleurs sauvages. Le mobilier est à l'avenant, sombre, lourd, ostentatoire. Sensualité oblige, il flotte dans cette antichambre du plaisir une odeur de magnolia. La belle Trishia, une grande fille robuste, une brunette élevée dans l'air salin du Bas-du-Fleuve, se présente soudainement dans son costume d'infirmière, une robe de térylène blanc ornée d'un col Claudine et fermée sur le devant au moyen d'une rangée de boutons de plastique imitant les perles, des bas de nylon blancs, des chaussures également blanches aux semelles crêpées et une coiffe de toile empesée, fixée avec deux épingles à cheveux noires sur le dessus de la tête. Elle invite notre homme d'affaires, ce grand type trop maigre, pâle comme un tableau de Blanche, à la suivre dans une des chambres qu'elle appelle la cellule. Dans cette pièce toute capitonnée de coton blanc aucun lit, aucun miroir, aucun bouquet de fleurs ni seau à glace pour le champagne, aucun magazine, aucun téléviseur, qu'une table d'acier inoxydable surplombée d'une lampe circulaire, disque de verre opalescent diffusant une lumière blanchâtre. Derrière la table, une armoire de verre et d'acier, profonde et haute. L'infirmière demande à son patient de s'allonger sur la table et le déshabille lentement. Elle range méticuleusement les vêtements dans l'armoire d'où elle sort une prothèse de résine qui épouse, cette fois-ci, la forme de l'abdomen de son client, une prothèse constituée de deux coques rigides et d'un ensemble de lacets jaunes pour l'ajustement. Elle attache ensuite les poignets et les chevilles de l'homme aux quatre coins de la table. Puis, avec un appareil électrique semblable à ceux qu'utilisent les dentistes et les joailliers et que l'on nomme fraises, elle perce à la hauteur du cœur une petite ouverture. Elle fait très attention à ce que l'outil n'effleure pas la peau de son patient bien que la menace, par appréhension, fasse perler sur le front trop pâle de l'homme d'affaires de fines et délicieuses gouttelettes de sueur. Ensuite, elle sort d'une poche de son uniforme un petit flacon rempli d'une substance produite par une mouche exotique, un coléoptère appelé mouche d'Espagne ou de Milan. Il faut plus de mille mouches pour en extraire une once de poison couleur d'émeraude et de tourmaline. On doit disposer près des marécages de grandes pastilles de pierre volcanique noire à fond peu profond remplies d'eau sur laquelle on fait flotter des pétales de roses. Les mouches d'Espagne adorent les contrastes vibrants et accourent en voltigeant dans un bruissement vert pour voir les petits morceaux de soie rose danser sur les disques noirs des vasques. Voilà comment on les capture. Une fois mortes, on les fait sécher dans les bassins vidés, au grand soleil, comme on le fait pour les tomates. Car, pour obtenir la cantharide, on délaye la carapace séchée et pulvérisée de la mouche dans un mélange constitué de quantités égales d'eau distillée et d'alcool camphré. Chez *madame Irène*, la cantharide n'est pas utilisée pour ses propriétés aphrodisiaques mais pour ses effets vésicants. Lorsqu'appliquée sur l'épiderme, cette lotion ne provoque aucune douleur, on ne ressent rien mais, dans l'heure qui suit, une rougeur apparaît par une enflure des chairs correspondant exactement au tracé de l'application. Pour notre bonhomme, Trishia dessine des figures simples, des traits, des x, des croix, de petits cercles, parfois des mots simples comme des conjonctions, des pronoms, de courtes onomatopées. Le poison aura brûlé la peau au deuxième degré et formé une cloque. L'homme d'affaires repartira travailler sans que rien ne paraisse, avec, de chaque côté de son torse, inscrite dans sa chair cireuse étirée sur les côtes, la sinuosité des lacets et, au cœur, un mince trait de sécrétions animales qui, lentement mais efficacement, le brûlera tout l'après-midi jusqu'à ce que l'enflure crève et tache de pus sa chemise bleue.

Quant à l'anglophone trop rouge, il opte, lui, pour les réseaux téléphoniques. Il écoute les messages enregistrés et se branle un peu. Il traque les voix. L'homme ne s'arrête en fait que très peu au contenu sensuel ou pervers des annonces, seules les voix seront déterminantes pour son choix. Lorsqu'il en trouve une qui lui plaît, alors il laisse son message. Il se dépeint comme un homme très grand, très bien découpé (ce qui se devine sous ses vêtements de ville), glabre, en bonne santé, très bien membré. Ensuite, il passe à ses exigences particulières. Il ordonne que la rencontre se fasse à la bibliothèque municipale française, rue Sherbrooke ou à l'autre, anglaise, à Westmount. Il y sera reconnaissable aux trois volumes de l'encyclopédie *Universalis* déposés sur la grande table de bois. La personne devra s'asseoir face à lui, et lui chuchoter des paroles obscènes, injuriantes. Il faut faire très attention, cependant, à ne pas se laisser aller à l'excitation et à ne pas hausser le ton. Il ne faut pas se faire remarquer, seuls les chuchotements seront possibles, permis. C'est tout ce qu'il attend, ce qu'il désire. Une rémunération généreuse aura été insérée dans une enveloppe et placée sous l'encyclopédie. L'homme trop rouge aura pris soin d'introduire des boules Kies dans ses oreilles car seuls l'intéressent les mouvements d'une bouche au rictus forcément dédaigneux. Pendant qu'il fixera cette bouche muette, son index parcourra les pages de l'encyclopédie comme un aveugle un texte en braille.

On m'enlève mon assiette d'os depuis peu évidés de leur moelle que j'ai mangée avec les cornichons et le gros sel. J'ai léché les os et n'ai pas hésité à y enfouir ma langue dans le trou pour laper la moelle que mon couteau ne pouvait atteindre. On me présente des pâtes rondes farcies d'agneau et de bœuf dans une sauce transparente à base de consommé, de sherry et d'oignons: les ravioli. Je n'ai pas remarqué mes hommes d'affaires quitter le restaurant, perdu dans mes pensées. Ma nappe est déjà pleine de mon écriture, mon stylo outrepasse souvent la frontière est du carré de papier et les mots aboutissent sur le tissu blanc. Combien en aurai-je abîmé, taché, maculé de ces nappes de coton... Je ne dois plus m'asseoir le long du miroir car, étant droitier, le mur m'empêche d'écrire confortablement. Mais comment savoir où seront attablés les gens que je présumerai intéressants. Ceux côté rue ou ceux-là qui fument tout au fond du restaurant. Christian ne peut deviner lorsque je lui téléphone, le soir, vers six heures, quelle table sera la bonne. Je dois composer avec le hasard; la seule latitude consistant à choisir de m'asseoir pour inclure ces gens-ci ou ceux-là dans mon champ de vision. Comment déterminer par un seul regard furtif sur un visage, en présumant d'une combinaison d'individus, de la réussite d'une soirée au restaurant? Finalement, je décide de me mettre face à des gens qui en sont au café. J'aurai

ainsi le plaisir de voir arriver d'autres clients qui
deviendront mes victimes. Ils s'installeront à la table
voisine, m'examineront, intrigués, car une personne seule
mange normalement au bar, sans se douter un seul instant
que, derrière mon livre — je me suis aujourd'hui réfugié
derrière *L'Invention du paysage* — je m'arrogerai un
morceau d'eux-mêmes.

MARDI 6 JUIN

Saumon fumé
Filet de doré amandine
Saint-Véran
Époisses

Ce soir, mon ami qui laisse à ses amants des coupons de taxi devrait passer pour le café. Aussitôt assis, je demande au garçon de sortir du frigo un morceau d'époisses car mon ami raffole de ce fromage, il en sert invariablement à chacun de ses dîners réputés pour leur profusion et leur perfection. Par exemple, un jour de semaine je suis invité chez lui à l'improviste, un petit repas entre amis. Ce fut des champignons sauvages au vinaigre de Modène, des viandes séchées, des melons de cavaillon, des huîtres, des homards thermidor, des salades de fleurs, de l'époisses, de la tarte tatin, des chocolats à la crème fraîche et des vins d'Afrique du Sud, de Californie, de la Côte de Nuit et de la Champagne. J'espère seulement qu'il n'arrive pas trop tôt.

Le garçon à qui je demande de chambrer le fromage et qui m'offre un apéritif me salue comme s'il me reconnaissait alors que je ne me souviens pas qu'il m'ait déjà servi auparavant. Ses cheveux blonds sont lissés par en arrière, sa mâchoire d'un rectangle accusé, les yeux bien installés dans leurs orbites. Je lui avoue ma surprise, je ne crois pas que nous ne nous soyons jamais parlé lui dis-je, je ne veux pas utiliser, peut-être parce que j'aimerais trop, le verbe servir. Il me répond qu'à *L'Express* on sait reconnaître les clients. C'est étrange, je me rends compte que pour eux je suis un client, je suis visible, j'ai beau me camoufler derrière mes chroniques, on m'a vu, on sait qui je suis. Et voilà que je me rappelle à mon tour de ce garçon aux allures aryennes. En se penchant vers moi pour me présenter la carte des vins, en s'étirant pour me la tendre, la manche de sa chemise a retroussé sur son bras, découvrant un avant-bras musculeux, serti dans une gaine de poils blonds soyeux comme des cheveux d'ange. Ah oui, je le connais! J'ai même déjà fantasmé sur un fragment de lui. Je m'agenouillais devant lui, je faisais glisser le bouton hors de sa boutonnière, je repliais sa manche en en faisant un ourlet, un tube de coton, une housse que je faisais remonter lentement le long de son bras. Et puis je me penchais pour enfouir mon visage dans la soie dorée de son avant-bras. Je léchais sa peau de blond, je l'embrassais au poignet. J'y apposais ma joue comme un sceau, le cachet de mon désir. Je n'avais savouré de lui qu'une partie de son corps, cette seule partie me sert ce soir à l'identifier. Il se nomme Jean-Louis. Pour moi il est devenu de ce fait le garçon aux avant-bras, mon garçon préféré. Il jouera le meilleur rôle, il sera le héros de mes chroniques. J'en ferai le chef de la guerre contre le trafic de fromage de lait cru. Il luttera contre le grand Duduche et Félix, contre Ginette, la blonde du midi. Il les dénoncera, il purgera le restaurant de cette ombre illégale, blanche et onctueuse!

Le saumon fumé est simplement servi en tranches fines, avec des câpres et de l'oignon. On m'apporte, avec un flacon d'huile d'olive, une assiette de quartiers de citron en mousseline, service particulier pour les bons clients me confie Jean-Louis.

Deux amoureux mangent au bar. Je les distingue très bien dans le miroir. Il lui caresse le dos de sa paume étale. La main s'insinue jusqu'aux omoplates. Les cheveux de la jeune femme sont noués avec un ruban blanc. Lui porte un T-shirt noir. Elle le touche à son tour. La nuque. Elle caresse la naissance de ses cheveux, il est bien rasé, elle s'amuse de la résistance des poils. Une nuque d'homme.

Elle l'embrasse au cou, respire son odeur qu'elle n'oubliera jamais. La femme au ruban blanc glisse sa main sous la manche du T-shirt de son amoureux. Elle tend son autre main vers le visage de l'homme. Avec ses doigts allongés, elle pose sa main sur ses yeux comme si son bonheur devait être quelque part dans la cécité. Un peu plus loin, sur le côté gauche, un autre couple s'y met aussi. C'est le bonheur au comptoir ce soir.

Le beau Jean-Louis me présente maintenant un filet de poisson qui fait simplement la planche au milieu d'une mare de beurre d'amandes. Je profite de ce qu'il me verse du vin dans mon verre pour admirer ses avant-bras. J'ai dû manger trop goulûment car j'ai du beurre fondu sur les lèvres et sur le menton. Jean-Louis appréhendant que ma serviette ne soit rapidement souillée m'en apporte une nouvelle. Le fait qu'il prenne ainsi soin de moi efface toute la honte que j'aurais pu ressentir.

Mes voisins, deux hommes dans la cinquantaine, conversent calmement. Le Québécois vante au Français les mérites des sportifs locaux, Jean-Luc Brassard, Myriam Bédard, Sylvie Fréchette. Il lui apprend que Gilles Vigneault, son voisin de campagne, fait partie de son comité. Je me demande bien de quel comité il s'agit. À leur conversation je déduis que mon bonhomme travaille dans le tourisme, peut-être à la télévision... Ils parlent d'un de ses reportages. Serait-il réalisateur sportif? Le jeune Villeneuve n'aurait pas une bonne bagnole et son père prenait part à des courses de Ski Doo. Il boivent une bouteille de Corton.

Tiens, voilà Geneviève Radieux qui arrive avec sa mère. Elles s'installent au comptoir à la place des amoureux. Une femme au loin fait des gestes très gracieux de la main pour les saluer. La mère de Geneviève lui répond par un sourire vernis, comme si le musée lui-même s'illuminait.

J'aperçois le grand Duduche qui a retiré de la cave deux bouteilles d'hydromel et les dépose dans un sac de papier avant de les remettre discrètement à un client qui partait. Un pot-de-vin sans doute. Jean-Louis s'en est aperçu. Vous ne perdez rien pour attendre mes lascars semble dire le petit rictus canaille dessiné au coin de ses lèvres. Christian inscrit quelque chose sur un carton d'allumettes et le glisse furtivement dans la poche du gilet de mon garçon aux avant-bras.

Lambert se pointe à ce moment critique. J'appelle Jean-Louis et propose à mon ami le fromage qu'on a fait chambrer à ma demande pour lui. Il refuse, il a déjà trop mangé. Mon ami commande un calvados, toujours le même, le Château d'Aubade. Je vois le carton d'allumettes dépasser de la poche du gilet de mon garçon chéri et, bien que je ne fume plus, je m'informe s'il n'a pas des allumettes. Il me répond qu'il n'en a pas, qu'il m'en apportera avec le calva. J'interprète son mensonge comme une confirmation.

Le lendemain, Colette et moi faisons des courses pour l'anniversaire d'une amie qui aura quarante ans. J'aurais aimé lui offrir des perles, ou n'importe quel autre bijou, comme un symbole. Coco, plus pratique sans doute, me convainc d'offrir de la vaisselle jaune. En quittant la boutique Arthur Quentin, on croise Jean-Louis sur le trottoir. Il nous salue correctement. Après qu'il soit passé, Colette me dit: «C'est Jean-Louis, le batteur de L'Express, tu le connais?» Colette serait-elle au fait du trafic illicite? «Il joue dans un band, les Stilton. »

J'avais confondu batteur et justicier, peu importe, je détenais maintenant le secret de ses avant-bras.

LUNDI 19 JUIN

Américano
Nouilles aux crevettes
Saumon grillé au sel gris
Montagny les joncs
Tarte aux fruits, allongé

C'est la canicule à Montréal. Le ciel est mauve. Je porte une immense chemise de lin blanc qui me colle littéralement à la peau comme si c'était un vulgaire vêtement de coton à fromage. Au carré Saint-Louis, des amoureux mouillés de sueur oublient la chaleur pour se minoucher les lobes d'oreilles. Décourageant... Assis sur un banc, un jeune Nord-Africain ne regarde rien, il a les yeux perdus dans l'épaisseur de l'air, sa joue est tachée d'une coulée de bave blanche séchée, depuis la bouche jusqu'à l'oreille. Il est neuf heures du soir.

Ginette m'accueille sans sourire et retire le deuxième couvert puisque je suis seul. Elle a un peu les mêmes yeux que Diane Dufresne, légèrement en amande, très creux avec du bleu qui coule. Je lui commande un américano, ce que je bois l'été depuis que j'ai lu *Les petits chevaux de Tarquinia* à vingt ans. À sa mauvaise tête, je déduis qu'elle remplace quelqu'un du soir, qu'elle a déjà une journée dans le corps, on devrait peut-être comprendre. J'envisage la salle comme s'il s'agissait de mon pupitre. Alors, c'est comment aujourd'hui ? Et mon crayon repart sur la nappe de papier. En écrivant, je me demande bien ce que je ferai, à la fin, alors que je serai confronté à toutes mes nappes pour me souvenir de l'atmosphère particulière de chacune des soirées. Je devrai sans doute les reconstituer chez moi en buvant du chablis, rivé à mon ordinateur. Il ne faudrait pas que j'oublie de consigner sur ma nappe quelle musique meuble *L'Express*, je me la ferai jouer, ça pourra m'inspirer. Bon, alors qui est ici ce soir ?... Monsieur Villeneuve avait raison, l'été n'est pas la saison des habitués. Je ne reconnais personne. Tiens, je pourrais qualifier de *couple de la réussite* ces deux personnes installées devant moi sur ma gauche tant ils sont beaux, l'air assuré. Elle : robe de vichy sans manches boutonnée sur le devant (boutons recouverts) ; cheveux mi-longs, séchés sans rien, comme ça, avec un joli mouvement naturel ; boucles d'oreilles d'or très simples ; dents impeccables, gloss à lèvres à peine rosé, un peu de mascara appliqué à la brosse ; les joues sont roses à cause du tennis qu'elle pratique régulièrement. Lui : chemisette de lin repassée mais pas trop et qui ne lui colle pas à la peau, ils disposent évidemment de l'air conditionné dans la voiture. Il a les poignets larges et porte une montre Cartier en acier ornée de vis dorées, celle dont le fond du boîtier est en titanium; ses cheveux bouclés évoquent ceux du modèle pour la publicité d'Eau sauvage dans les années soixante-dix. Il est plus bronzé qu'elle, il ne porte pas de chaussette dans ses mocassins. Il boit une bière pression alors qu'elle préfère un vin aromatisé, un vermouth peut-être.

Ginette m'apporte mes tagliatelle sucrées, parsemées de crevettes et de petits légumes: carottes, poivrons, pommes,ciboulette rendus brillants grâce au beurre fondu qui les enrobe. Je les goûte immédiatement avant même qu'elle ne s'éloigne tant je suis affamé. Très bonne idée finalement que le mariage des pommes et des crevettes.

Le bar m'apparaît aplati par son reflet dans le grand miroir et je le perçois comme un tableau de Manet, *Le bar des Folies-Bergères*. Appuyé des deux mains au marbre du comptoir, le grand Duduche s'y tient très droit derrière une coupe de cristal pleine d'oranges de Séville, des bouteilles d'ale et de crème de menthe. L'illusion est presque parfaite. Les gens qui consomment au bar s'assoient côte à côte, ils n'ont pas à se faire face, à se regarder. Au bar, on se parle comme au téléphone, on se fait des conversations aveugles. Ce positionnement des corps obligé et entendu comporte plusieurs avantages. Il permet entre autres de se dire des choses que le regard empêcherait. Celui sur soi, un regard qui ferait rougir du feu de la confession, celui sur l'autre, un regard qui ferait pâlir du blanc du dénigrement. Les aveux deviennent plus faciles au bar, assis en parallèle, qu'à une table, en face à face. On peut aussi, comme moi, voir sans être vu en essayant de regarder à travers les bouteilles, en utilisant le relais des miroirs. Assis au bar, on est au cœur même de la salle, entre réalité et reflet, on flotte, invisible, sur le babillage des convives. Et on a en prime les propos mimés de Monsieur Masson. Le bar de *L'Express*, le lieu idéal de la représentation.

Pierre Doiron, le jeune peintre devenu célèbre grâce à ses autoportraits autoréférentiels arrive et s'assoit au bar. Depuis plusieurs années déjà, il se représente inlassablement en chemise blanche et en gilet noir, regardant le fond de la toile où se tient, à chaque tableau, une joute de l'histoire de l'art. L'histoire comme un paysage à contempler. Il est accompagné d'un autre jeune homme, blond, comme lui très élégant. Pierre a une façon de fumer ses cigarettes très Hollywood. Il tient l'extrémité du tube entre son index et son majeur en maintenant la cigarette bien horizontale avec son pouce sur l'extrémité du bout filtre, ce qui oblige son poignet à s'incliner vers l'extérieur. Il avance sa main vers la bouche lorsqu'il veut fumer sans déplier son poignet. Très Lauren Bacall. Non, on ne peut pas déceler de féminin dans sa manière, on y verrait plutôt le raffinement d'un Gary Cooper. Il gesticule sans cesse des verticales parallèles en parlant à l'homme blond, on dirait qu'il lui explique ses tableaux, il semble lui en décrire les proportions. Le peintre doit manger avec un collectionneur. Mais ne s'anime-t-il pas trop pour un dîner d'affaires? Je le connais suffisamment pour savoir qu'il ne se permettrait pas tant de vivacité et je devine même une certaine tendresse dans son regard. Je la vois bien la tendresse de Pierre dans le reflet du miroir juxtaposée au visage impassible du grand Duduche. Alors il faudra que je téléphone à Mary-Ann, sa vieille copine, pour lui tirer les vers du nez à propos de cet homme blond qui l'accompagne. J'ai le droit de savoir, les gens de notre milieu nous appartiennent toujours un peu.

Deux hommes se sont joints au couple de la réussite. Les voilà qui mangent en chiasme. En croix, ils se partagent des asperges vinaigrette et des salades de pieuvre. Ils prendront plus tard, toujours en croix, le saumon au cerfeuil et les rognons. Ils critiquent une vidéo familiale. Si ce n'était de la présence de l'arrière-grand-père, cette vidéo se comparerait, impersonnelle et froide, à une galerie de portraits dans un musée, à un album de famille duquel ne se dégagerait plus aucun charme. Ni le poids de l'album que l'on porte sur les genoux et autour duquel tout le monde se presse, ni l'odeur du vieux carton, ni le craquètement des pages épaisses. Tout cela a disparu. La vidéo de famille se regarde dans la minceur. Le jeune mari sort un pied d'un de ses lofers, je fais semblant d'échapper ma serviette et je me penche pour voir la marque. Je ne m'étais pas trompé à leur sujet, il porte des mocassins Ferragamo. Pendant que j'examinais le fond de ses chaussures, il s'est allumé un cigarillo Davidoff. Ils discutent maintenant de chirurgie plastique, leur métier je crois. Je distingue des mots épars dans la cohue, isolés les uns des autres comme des taches de rousseur sur une peau de rousse. Injection de silicone, ...liposuccion, ...hor-ri-ble en Italie, ...boucherie. Et puis j'entends un rire qui ne me dit rien qui vaille.

Un jeune couple s'attable à côté de moi. La jeune femme, très belle, rousse, les cheveux par petites mèches ondulantes sur son front haut comme un encadrement. Elle est vêtue d'un chemisier imprimé bleu et blanc avec de la dentelle autour du col sur une jupe-culotte du même bleu. Lui porte un T-shirt blanc avec une poche sur le cœur et un jean Levi's 501. Il est châtain, les cheveux courts et fins comme du fil à broder. On apporte à la jeune fille un verre de vin blanc et pour lui un Perrier citron. Ils trinquent et elle, à son adresse: «À toi mon cher petit frère qui a tant de choses à me dire.» Un long silence pèse sur mes voisins. Oh, le voilà qui baisse la tête, il pose les mains à plat sur la table, ce ne doit pas être facile à dire... Il lui avoue que, depuis quelques années, il ne se sent pas bien. Il ne voulait alarmer personne tant que son état de santé lui permettrait de vivre normalement mais récemment son taux de cellules T-4 a baissé sous le cap des deux cents et, pouvant désormais être facilement victime d'infections opportunistes, il voulait l'avertir, elle, sa sœur unique. Il est contaminé par le VIH. Il avoue sa maladie comme on confesse un péché trop longtemps tu, d'une voix douce, terriblement calme. Il ajoute que personne d'autre ne le sait. Qu'il préfère pour le moment qu'elle n'en fasse état à personne. Il croit que l'aveu accélérerait la progression du mal, en parler voudrait dire l'accepter, et l'accepter signifierait perdre.

La sœur unique pose ses yeux secs sur la surface brillante de son verre de vin blanc. Elle ne pense à rien, elle ne sait pas quoi répondre, pour elle sans doute est-il déjà mort. De ma place on a l'impression qu'un vent froid souffle dans sa tête. Elle lui prend la main. Deux mains sur la nappe de papier, telles que je les vois, caché derrière mon livre, une main encore chaude sous une main toujours froide et, sans le regarder, elle lui demande s'il a choisi.

Ce soir-là je n'ai pu manger ma tarte aux fruits. J'aurais aimé tasser la main glacée et serrer dans les miennes la main du dessous, sa main à lui, pour le consoler.

Je ne révélerai pas son secret.

Je téléphone à Mary-Ann. Elle m'apprend que Pierre n'est plus avec son ami. Elle ajoute que Pierre fréquenterait en ce moment un jeune médecin de Toronto, collectionneur d'art contemporain. Je lui demande si elle connaît la couleur de ses cheveux. Elle me confie que Sylvie B. lui a dit qu'il aurait les cheveux blonds.

MARDI 20 JUIN

Poêlée de légumes à la coriandre
Caille au riz sauvage
Saint-Émilion Château Carillon
Croupet triple crème et bordeaux

C'est encore Jean-Louis qui me sert aujourd'hui.
Après avoir noté ce que je préfère manger ce soir, il
s'enquiert si je désire chambrer un morceau de fromage.
Je le prie de m'en suggérer un et, comme je ne connais pas
le croupet, on opte pour ce fromage triple crème.
Évidemment, je ne pouvais résister à un nom aussi
évocateur proposé par Jean-Louis le garçon-batteur.

Je suis assis face à une femme qui ressemble à s'y
méprendre à Carol Burnett. Elle porte un jumper de denim
délavé sur une blouse de viscose et des runnings.
L'Américaine nous réaffirme sa nationalité en affichant
fièrement ses bijoux de pacotille: des anneaux sertis de
fausses topazes roses et des bracelets de nylon beige d'une
dizaine de centimètres de large ornés de pochettes en

plastique souple et transparent contenant un gel turquoise comme cette glace synthétique qu'on utilise pour les pique-niques. Les sachets bleus placés directement sur la peau m'incitent à croire qu'il s'agit d'une espèce de *patch* ou d'une prothèse contre l'arthrite ou le rhumatisme, je m'informerai auprès de mon médecin de famille. Si on s'y attarde bien, on découvre toutes sortes de clients à *L'Express*. Tiens, voilà Jim Cormoran sans son béret, après tout on est à la fin de juin.

Jean-Louis est interpellé par Thierry, le garçon claveciniste qui étudie avec Dom André Laberge et qui prépare actuellement les *Variations Goldberg*. Il travaille ce soir derrière le bar. Placé comme je le suis, près du petit comptoir à cornichons, je peux les entendre. Ils ont remarqué que j'écoutais car Thierry souffle à Jean-Louis: «S'il te plaît, ne parle pas trop fort», en mâchant le S.T.P. et en me regardant. Ils se sont aperçus que j'écrivais encore et ont échangé un regard complice. Ma paranoïa se remet à carburer de plus belle. Que vont-ils imaginer une fois de plus... Il faudra que je sois bien gentil avec eux dans mon livre, histoire de me venger de leurs calomnies. Histoire de les faire se sentir bien coupables. «...J'ai lu les *Chroniques de L'Express*, tu sais, le type qui venait si souvent et qui écrivait sur les nappes, eh bien, il a dit des choses très

belles sur nous, quand je pense que l'on se payait sa tête...
Pauvre type quand même. Tu te souviens Jean-Louis
comment il te regardait, et qu'il en bavait du beurre fondu
lorsque tu le servais, c'était franchement dégoûtant...» Ils
devraient s'estimer chanceux de figurer dans mon livre.
Voilà ce que j'aimerais leur dire à ces deux-là qui
marmonnent sur mon dos. Voilà qui leur rabattrait le
caquet. Je pourrais leur rétorquer que je veux attirer
l'attention des dépositaires du plaisir, des agents du plaisir
sinon du plaisir lui-même. Je veux faire un livre sur le
bonheur! Et lorsque je songe au garçon-batteur je voudrais
que cette remarque soit considérée comme une invitation.
Le bonheur qu'il me procurerait avec ses bras dorés. Cette
invitation, il la lira bien plus tard, dans un an, dans deux
ans, et il comprendra mon désir de lui, longtemps après
mon dernier dîner. Il sera peut-être flatté de ce geste fait a
posteriori, la tentative de séduction du fou aux nappes. Il
se dira que personne ne l'a jamais désiré au point d'écrire
un livre sur lui, il sera touché et pensera peut-être à
délaisser le plaisir des femmes pour goûter aux miens. Mes
mots agiront comme un philtre, ils l'ensorcelleront. Il
conviendra qu'après tout je n'étais pas si mal et, enivré
par mes mots, me verra, dans son souvenir, transfiguré.
Chose certaine, si le livre paraît, je n'oserai plus mettre
les pieds à *L'Express*. Jamais plus. J'irai au *Bouchon*, au

Witloof, au petit *Grain de sel*, au *Paris* à la limite, tant pis. Je ne pourrai jamais affronter son regard une fois le livre publié. Mon entreprise de séduction demeurera sans conséquence.

Les légumes poêlés à la coriandre sont très savoureux et cuits juste à point. Il s'agit en fait de légumes braisés comme on le dit du fenouil. On y retrouve des courgettes, des carottes, du céleri, du chou-fleur, des champignons, des oignons et des pois mange-tout. La coriandre parfume délicatement la jardinière. On m'apporte ensuite ma caille confortablement assise dans son nid de frisée pourpre et de riz sauvage, de feuilles d'endive présentées en triangles et de tranches d'œufs durs. À manger de telles volailles on se sent encore plus carnivore que d'habitude, sans doute à cause de leur taille, on mange un tout petit oiseau, un si petit oiseau inoffensif dans son sommeil de laitue et de riz, on se sent cruel et on aime ça. Mais l'oiseau se venge car il y a si peu de chair autour de ses os trop frêles que le grignotage se réduit à deux petites morsures et voilà, c'est déjà terminé.

Pendant que je considère ma caille, Christian s'installe à mes côtés en se tenant sur une jambe et s'informe:
— Alors ce livre, il avance?
— Si on veut, je ne suis pas encore passé à travers le

menu. J'en suis encore à recueillir des notes, comme vous voyez.

— C'est long ce projet, j'aurais cru...

— Vous savez, j'ai enseigné tout le printemps, ça m'a retardé, je ne faisais que cela, préparer mes cours, les corrections, je n'avais pas la tête à écrire, il n'y avait pas de place pour autre chose.

— Je ne dis pas ça pour que vous vous justifiez, c'est que j'aurais aimé le lire avant mon départ.

— Vous partez monsieur Christian? Pour longtemps?

— Pour toujours. Je quitte L'Express.

Comment peut-on laisser partir Christian, un des piliers de la maison, c'est un peu lui le restaurant. Avec Monsieur Masson, on peut affirmer qu'il est la figure principale de *L'Express*. Je veux lui poser une autre question mais il repart vers le bar où il s'entretient avec Thierry, je ne peux pas les entendre. Mais il revient avec un verre de vin à la main et s'assoit de biais, à la table voisine inoccupée. Christian a le goût de se raconter ce soir. Il s'en va demain, il peut bien, pour une fois, déroger aux directives de Monsieur Villeneuve.

— Eh oui, je quitte L'Express, je pars vivre à la campagne.

— À la campagne, vous monsieur Christian, vous

un homme si urbain, j'ai de la peine à vous imaginer à la campagne. Depuis combien de temps travailliez-vous ici?

— Depuis l'ouverture, en fait quelques semaines après l'ouverture. Voilà quinze ans.

— Et vous êtes las d'ici, une brouille avec la direction peut-être?

J'espérais une confidence bien juteuse, mais la question était sans doute trop transparente, mon petit profit trop évident.

— Non, pas du tout, je retourne dans mon pays, à Bourges, je vais étudier.

— Vous allez étudier l'hôtellerie?

— Non, non, je me suis inscrit dans une école d'agriculture, spécialisée dans l'élevage des chèvres.

— Les chèvres? Pourquoi l'élevage des chèvres?

— Mais pour le fromage.

— Et vous comptez revenir ici ensuite pour en faire le commerce?

— Peut-être, je ne sais pas encore. Il est certain qu'il y aurait tout un marché à conquérir, cela implique beaucoup d'argent vous savez. Le fromage qu'on fait ici n'est pas très bon. Mais je ne pense pas si loin. Pour le moment je sais que je quitte Montréal et que je retourne dans mon pays. J'ai hâte de revoir la maison familiale, la colline derrière le moulin où je jouais au chevalier encore tout gosse. J'ai hâte de revoir la petite église romane derrière laquelle j'ai fumé ma première cigarette. Une cigarette volée à mon oncle. Il tenait bar-tabac juste en face de la gare, à côté de l'église. Je lui chipais des cigarettes et les revendais à mes copains dans la cour de l'école. Eh oui, je quitte demain...

Christian qui ne m'avait jamais parlé a attendu de quitter pour nouer un lien avec moi. Lorsqu'il me laisse, mes cailles sont toutes froides, figées sur leur lit de riz sauvage. Je commence à saisir la situation. Ses confidences, une fois mises en perspective, m'éclairent. Christian fait peut-être partie lui aussi, après tout pourquoi pas, de la bande de trafiquants. De contrôleur il décide de passer à producteur et débiteur pour amasser tous les profits. Pas bête. Et Ginette, juste au-dessous de lui dans la pyramide, deviendra son agent à *L'Express*. De toute façon Ginette est amoureuse de Christian, c'est bien évident. Il n'y a qu'à observer comment elle roule les hanches devant lui, comment elle lui lance le bleu de ses yeux mouillés en plein dans la gueule à chaque fois qu'elle le regarde. Ça, je l'ai tout de suite senti lors de ma première visite. Les changements de son humeur en témoignent. Sous elle, il y a Félix son fils illégitime et le grand Duduche, l'amant de Félix et aussi, parfois, de Ginette, histoire de se mettre bien avec les autres membres du personnel car Ginette, autre figure de *L'Express*, joue un rôle certain dans les décisions concernant les subalternes. Je dessine sur ma nappe l'organigramme du trafic et tout m'apparaît enfin clairement. J'omets le nom de Jean-Louis. Je ne veux pas croire qu'il soit mêlé à cette terrible histoire. Un batteur oui, un bandit, jamais.

Je suis quand même déçu que Christian s'en aille, c'était mon seul complice. Je n'aurai pas eu le temps de le photographier. J'ai pensé à quelque chose de nouveau l'autre jour. J'aimerais beaucoup insérer des photographies dans mon livre. Les placer en appendice. Je ferais comme ça différentes photos, disposées en grille, qui feraient office de table des matières.

Le beau motif bleu de la cravate de Thierry,
La bouche boudeuse de Félix et celle plus généreuse de Stéphane,
La silhouette de Christian,
Les yeux coulants de Ginette,
L'ombre portée de Monsieur Masson,
Le nez de Luc,
La nuque de Duduche,
et, bien sûr,
Les avant-bras de Jean-Louis.

Je ferais écrire, dessous, le titre de chacune d'elles avec une lettre majuscule. Il n'y aurait pas d'ordre particulier de présentation autre que celui des images mentales telles qu'elles s'offrent ce soir. Je les répartirais au hasard, comme les idées surgissent lorsque l'esprit vagabonde. Mais mon éditeur, s'il acceptait de reproduire ces photographies, ce dont je doute, me proposerait vraisemblablement une ordonnance en fonction de l'apparition de ces motifs dans le texte, de renoncer à mon idée de grille et de les intercaler à la fin de chacun des chapitres où je mentionne ces détails, afin que ce soit bien clair pour le lecteur. La photographie, pour être légitimée, devrait encore un fois agir comme une simple illustration. Naturellement j'argumenterais en affirmant que l'abondance hétéroclite suggérée par mon assemblage d'images répondrait en écho à mon style d'écriture, celui retenu précisément pour ces chroniques. Il consistera à présenter les événements comme ils surgissent dans la tête du narrateur, dans une sorte de fatras, d'amas confus, de fouillis, comme si on l'entendait penser à mesure que le repas avance et qu'il erre dans ses réflexions comme dans un état second, sans autre logique que celle de leur simple apparition... Mais ce que j'aimerais le plus serait de commencer la série par l'avant-bras droit de Jean-Louis et de la terminer par une photographie de l'autre, le gauche. Ou encore, pourquoi pas, insérer tout le texte entre ces parenthèses chéries. Les avant-bras mordorés de Jean-Louis deviendraient les pages de garde de mes chroniques.

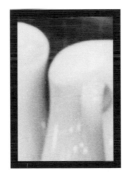

Deux amoureux mangent au bar. Je les distingue très bien dans le miroir. (p.123)

MARDI 27 JUIN

Campari jus d'orange
Soupe de poisson avec sa rouille
Vin du Domaine de la Grâce d'Ornon
Agneau au romarin, sauce demi-glace et gratin dauphinois
Vin de la maison

En passant dans la rue Prince-Arthur, je découvre un musicien oriental qui joue d'un instrument absolument nouveau pour moi. D'après ce que le petit musicien me raconte dans son français approximatif, il s'agit du *shamisen*. On l'entend partout au Japon, au restaurant, au théâtre, dans les fêtes. Il serait arrivé par les îles Liou-Kiou en 1560. Son origine serait chinoise mais le Japon se le serait approprié de telle manière qu'il en a fait l'instrument national par excellence. Il est gracieux à voir, tenu en travers du corps, avec son manche élancé sur lequel trois cordes sont tendues grâce à de grandes chevilles. Ce serait l'instrument favori des geishas. Voilà ce que me raconte le petit musicien oriental tout en continuant de jouer ses mélodies de quarts de tons. Je le quitte avec, dans les oreilles, sa voix syncopée sur fond tremblotant de *shamisen*.

Malgré cet intermède oriental, c'est avec un goût d'Italie que je me dirige vers *L'Express*. Un goût de figues blanches et de prosciutto, un goût de pâtes, un goût de l'île San Giglio. Malheureusement, j'ai déjà essayé le seul plat de pâtes qu'ils aient au menu. Il fait si chaud que j'en suis tout étourdi. L'air est épais d'humidité, les pierres des maisons renvoient la chaleur accumulée pendant la journée. Une chaleur comparable à celle du jour où je m'étais rendu à Naples pour voir une exposition du Caravage. C'est là que j'avais contemplé pour la première fois le célèbre plateau de fruits, cette nature morte sur fond jaune, ces fruits mais surtout ce jaune si extraordinaire du Caravage. Après le *Marat* de David (de Bruxelles) et la *Jeune femme lisant une lettre* de Vermeer (d'Amsterdam), j'avais vu «en vrai» le troisième de mes tableaux anciens préférés! Mais quelle chaleur... Vite, entrer dans mon observatoire climatisé!

Puisque je ne sais pas quoi prendre comme apéro, Jean-Louis me propose une bière bien fraîche mais je n'aime pas la bière avant de manger, ça rend la bouche pâteuse... Je ne sais pas... J'hésite entre un américano et un vin muscat. Finalement, Jean-Louis sollicite ma confiance, il me préparera quelque chose de frais et de léger qui me plaira. Je m'en remets à lui. On pratique ici un service personnalisé. On suggère au client de transmettre au garçon la responsabilité de décider, on lui laisse porter le fardeau du choix. Le client se sent privilégié, flatté d'une telle attention, il remet un bon pourboire, il revient. Cette stratégie fonctionne à tous coups. Il y a une rhétorique des gens de restaurant pour séduire la clientèle et ceux de *L'Express* la connaissent bien. Il réapparaît avec le pain, le beurre et le menu mais ne veut toujours pas me révéler ce qu'il concocte. Lorsqu'il apporte mon verre, un cocktail à base de campari et de jus d'oranges fraîchement pressées, j'échappe sur la table le petit morceau de beurre que j'allais étendre sur un bout de pain. Est-ce la proximité du corps de Jean-Louis, l'émotion provoquée par la charmante attention du campari orange qui provoque cette maladresse, quoi qu'il en soit, Jean-Louis a la délicatesse de faire comme s'il n'avait rien vu, il feint de ne pas remarquer mon geste nerveux et s'enquiert si j'aime le campari. Décidément, mon Jean-Louis a de la classe et moi un problème lorsqu'il s'approche trop.

Trois générations de femmes sont attablées en face de moi. L'une, la mère sans doute, porte une montre Hermès et se cache derrière des lunettes immenses qui lui confèrent une apparence d'insecte. Je ne reconnais pas le logo de la maison pourtant gravé très gros sur une bague de métal argenté qui fixe la monture à la lunette. Elle porte une chemise de coton rayé marine et blanc Ralph Lauren (le petit joueur de polo brodé sur le côté gauche) et une jupe de jean. La grand-mère a choisi un ensemble de soie imprimé à motif de feuillage vert et bleu, le pantalon du même tissu mais en négatif. Sa taille fine est soulignée par une ceinture marine. Elle porte des boucles d'oreilles d'obsidienne cerclées d'or. La petite, elle doit avoir dix-sept ans, est exactement vêtue de la même façon que le garçon aux mains chaudes de l'autre soir: un T-shirt blanc et un jean Gap. Elles sont trop loin, je ne peux pas entendre leur conversation. Le restaurant est presque vide ce soir, je les observe parler mais sans comprendre. Toutefois elles me donnent l'impression d'avoir une conversation passionnante, la grand-mère semblant invoquer des arguments qui font réfléchir les deux autres. En fait, la grand-mère paraît beaucoup moins coincée que sa fille. Lorsqu'elle rit, elle se dissimule la bouche avec sa main manucurée aux ongles vernis, impeccables, la lunule dégagée, comme on le faisait dans les années quarante. Ses mains sont criblées de taches de vieillesse.

J'aime les taches de vieillesse. Si, chez la vieille dame, ces signes m'apparaissent comme des médailles d'honneur offertes par la vie, sur un visage jeune ils font figure de condamnation. L'autre jour, j'ai remarqué sur mon front une tache sombre que je croyais être une petite veine apparaissant sous l'épiderme, une veinule que je connaissais bien. Mais ce jour-là, elle avait grossi, elle dépassait la frontière d'une cicatrice d'enfance qui l'avait jusque-là délimitée. La cicatrice avait laissé au-dessus du sourcil droit une petite cavité. La minceur de la peau à cet endroit expliquait l'apparition de la veine bleutée. Mais le bleu s'était transformé en gris et débordait maintenant du contour de la cicatrice. J'étais persuadé que je souffrais du cancer de Kaposi et que, comme René, j'allais avoir le visage puis le corps entier recouvert de ces affreuses taches noires, aux formes irrégulières qu'aucune crème cosmétique ne parviendrait à camoufler. Mon corps allait devenir la carte géographique d'un pays en extension continue, le devis rigoureux, exact et précis de l'horreur. Je ne pourrais plus jamais sortir de chez moi. Je ne verrais plus le soleil qu'à travers les stores de mon appartement. Je sortirais drapé dans des voiles noirs de musulmanes et j'aurais si chaud que je m'évanouirais aussitôt. On me ramasserait sur le trottoir, devant le gymnase de la Cité, on dégagerait mon visage pour me permettre de respirer à l'aise et on découvrirait alors ma peau ravagée, mouchetée du cerne abject des flaques de Kaposi. Sans doute que, dégoûté, on me laisserait là, gisant juste sous la verrière de la piscine. Les beaux nageurs de la Cité en profiteraient pour s'essuyer encore plus lentement que d'habitude en m'examinant, et riraient entre eux. Mon dermatologue m'a rassuré, ce n'est qu'une tache de vieillesse m'a-t-il confirmé. «Mais ne suis-je pas trop jeune pour ce genre de taches, lui objectai-je! Êtes-vous vraiment certain qu'il ne s'agit pas du Kaposi?» Je dois constater que je ne suis plus jeune; cette tache minuscule qui m'a terrorisé pendant une semaine au point de me faire perdre le sommeil en est la preuve, elle en constitue le premier signe accusateur. Je déplore un autre de ces symptômes: l'apparition de poils à des endroits inusités. Les poils des sourcils allongent, mon coiffeur doit maintenant me couper ceux qui tapissent mes lobes d'oreilles, je dois arracher ceux qui dépassent du fond de mon nez. Pendant que tous ces poils poussent, mes cheveux s'éclaircissent, dégageant mes tempes et allongeant mon front. Je ne parle pas de la fesse qui s'affaisse et qui trace un pli sur le derrière de la cuisse, un pli léger que les exercices ne parviennent pas à faire disparaître...

Je mange ma soupe de poisson avec sa rouille. Le goût rêche de la rouille mélangé à l'onctuosité de la soupe devrait m'intéresser mais ces réflexions sur le vieillissement m'ont coupé l'appétit. J'ai soudainement très chaud, l'air conditionné ne fonctionne pas, on m'apporte déjà l'agneau et le gratin dauphinois découpé en cube stratifié que je picore du bout de ma fourchette. Le vin de la maison me donne mal au cœur, je ne me sens vraiment pas bien.

On installe à mes côtés des musiciens *straight* et ennuyants. Ils discutent de *sampling*, de stéréophonie, d'enregistrements, de studios, leur conversation est truffée de termes techniques, un jargon anglais qui a l'air de leur plaire, comme s'il démontrait leur compétence. Je distingue mal et ce milieu ne m'intéresse pas. Au loin, une jeune femme ressemble à Vanessa Redgrave, la lèvre inférieure un peu lasse, trop de collagène sans doute.

Je fais venir Jean-Louis à ma table et réclame l'addition. Voyant mon assiette intacte, il me demande si je n'ai pas apprécié mon dîner, il est à peine entamé. «Je ne me sens pas bien ce soir Jean-Louis, c'est sans doute la chaleur», lui dis-je. Je ramasse ma nappe de papier. Je n'ai presque rien écrit, pas assez pour en tirer quoi que ce soit. Un souper de perdu.

Sur le chemin du retour je marche lentement en espérant qu'une promenade calme rétablira ma digestion.

Je considère maintenant que le jargon des musiciens remplit la même fonction que la montre Hermès de la dame d'en face. Celle d'une vaine et grossière monstration. Lorsque j'ai eu cette exposition à Vancouver, on m'a invité à dîner chez Stan Douglas, le célèbre vidéaste qui a représenté le Canada à la biennale de Venise et qui a eu par la suite un solo au Musée d'art contemporain de Montréal. Autour de la table se trouvaient de ses amis dont Ken Boom, un artiste canadien d'origine chinoise qui ne s'est entretenu que des gens qu'il connaissait pour que l'on comprît bien à quel réseau il appartenait. Comble de raffinement et pour souligner sa complicité avec Stan qui, il faut bien l'admettre, est situé au-dessus de lui dans la précieuse hiérarchie des arts, Ken prononçait des choses comme: «Tu sais Stan, Léo m'a dit l'autre jour au téléphone...» en ne donnant pas le patronyme de ce Léo (on comprendra Castelli), prétendant ainsi à une certaine intimité avec l'historique directeur de galerie new-yorkais. Léo, notre ami à tous les deux, laissait-il sous-entendre. À vomir. Tiens, c'est ce que je devrais faire...

Je traverse le carré Saint-Louis à toute vitesse et je file dans la ruelle afin de me soulager sur la clôture qui délimite le petit bocage. Je préfère vomir dans les herbes sauvages au fond d'une ruelle que sur le trottoir. Hélas, je ne peux pas me rendre à temps au fond de la ruelle et je vomis devant la maison qui jouxte l'immeuble qu'habite Michel Tremblay. J'espère que ce n'est pas là où vit mademoiselle Larenverse.

En passant par la rue Prince-Arthur, je cherche le petit joueur de *shamisen*, il me changerait les idées, mais il est déjà parti.

MARDI 28 AOÛT

Potage à l'oseille
Confit de canard en salade
Pinot noir
Roquefort et noix

Porto Taylor

Il fait un peu moins chaud ce soir, je croyais que la canicule ne cesserait jamais. J'ai passé l'été enfermé chez moi, dans la fraîcheur climatisée de mon appartement. Deux mois de réclusion. Le jour, je ne sortais que pour aller nager à la piscine de la Cité. On a construit trois piscines au-dessus du garage et aménagé le toit en jardin avec des pommiers, des féviers, des pins, des hémérocalles, de la sauge bleue et de petites impatientes dans les zones ombragées. Sans doute pour nous rappeler sur quoi nous sommes juchés, on a placé sur des socles de béton des sculptures réalisées avec de vieux carburateurs, des tuyaux d'échappement, des pièces chromées de voitures, soudées les unes aux autres. On y lit maintenant des chevaux, des taureaux, des figures animales illustrant la force. Les gens prennent un bain de soleil sur des chaises longues aux coussins défraîchis tellement rapprochées les unes des autres qu'elles se touchent. Ceux qui s'étendent près de la piscine, rutilants de crème solaire Vichy ou Bioderm et d'eau d'Évian en aérosol, sont les princes et les Miss du gym. Tout au fond sur la gauche, bien installés sur le piédestal que forme le muret de la piscine, se tiennent les gays en maillots Létiga, ces maillots de lycra qui mettent leurs attributs en relief. Ceux qui ne sont pas parfaitement découpés, qui n'ont pas des abdominaux tablette de chocolat, ceux qui ont des enfants, ceux qui ne portent que de simples Speedo bourgogne, ceux dont le bronzage n'a pas été peint au fusil, ceux qui ont des vergetures, de disgracieuses repousses noires, des ongles cassés, le pied d'athlète, tous ceux-là sont relégués sur la pelouse près des tennis. C'est là que je plante ma chaise. De cet endroit on peut confondre les statues de chrome avec celles de chair. Je les regarde briller sous le soleil décapant, de loin, avec condescendance et jalousie mêlées.

Le soir, après le coucher du soleil, lorsque la chaleur tombe, je recommençais à vivre. J'allais au cinéma, je me promenais sur le campus de McGill, je m'assoyais près de la fontaine aux trois éphèbes tenant une vasque. Ils ont des allures michelangelesques avec leurs *contrapposti* musclés et, la nuit venue, seraient les fantômes des princes de la piscine. Leur blancheur pierreuse les rend infiniment plus désirables. On a le goût de franchir le bassin et de caresser leurs flancs glacés, de se hisser jusqu'à leur tête et de les embrasser sur la bouche.

À cause de cette chaleur je ne suis pas allé à *L'Express* de l'été. La dernière fois j'ai été malade, je n'en avais plus aucune envie. J'avais pris mon projet en aversion, ça arrive.

Il ne me reste plus que trois repas. Mon choix est désormais limité, il se réduit au foie gras, au confit de canard et au tartare. Le tartare, je n'en prendrai pas car je crains les infections intestinales. Tous ces plats, malheureusement, cohabitent mal avec la canicule. Je n'avais pas envisagé que ces rendez-vous s'échelonneraient sur une période aussi longue. J'aurais dû le prévoir et garder les plats plus légers pour la saison estivale. J'ai donc décidé d'attendre l'automne pour y retourner. Le livre s'étalera sur un an et bouclera la boucle dans le calendrier. Ce soir, la fraîcheur retrouvée, les statues de pierre, les parfums lourds de la fin de l'été, je ne sais pas, j'ai envie que le confort se prolonge jusque dans une assiette. Je rêve d'un bleu avec un verre de porto dont la couleur sombre annoncerait l'automne. Cette couleur de feuilles gisant dans l'eau des flaques et dégageant l'odeur délicieusement sucrée de la décomposition.

Comme je n'ai pas réservé de place, j'attends un peu dans le vestibule qu'une table se libère. Christian, mon ancien complice, ne travaille plus au restaurant et je préfère désormais ne pas réserver. J'arrive plus tard, vers 22 heures. Un homme et une femme attendent à mes côtés. Je suis certain d'avoir déjà vu cet homme, mais où? Je le reconnais finalement, c'est l'amoureux de la dame qui faisait tomber la pluie dans les déserts. Il embrasse cette autre femme et lui dit que leur villa sera tout à fait isolée entre deux falaises, face à la mer des Caraïbes. Il raconte la même histoire à toutes ses conquêtes, dans le même restaurant. Mon amazone n'en sait peut-être rien, la pauvre, en mission dans le tiers monde à faire pleuvoir les déserts. Pendant qu'elle troque avec les enfants affamés ses copies de Baume & Mercier, achetées pour dix dollars à des revendeurs haïtiens, contre leurs bijoux d'ivoire de trompe, son amant fait miroiter à d'autres femmes la villa qu'elle a payée grâce, justement, à la vente des fameux bracelets et des colliers sculptés, mer-veil-leu-se-ment primitifs, à des collectionneurs fortunés. Je crois que je ne m'étenderai pas là-dessus dans mon livre car, bien que les nouvelles parutions ne restent que six mois en consignation sur les tablettes des librairies, elle pourrait, entre deux de ses nombreux voyages, se procurer un exemplaire de mes chroniques et connaître la vérité sur son Casanova. Il faut faire attention à ce que l'on écrit.

Je renonce à l'apéro ce soir, je fais attention. La dernière fois j'ai été tellement malade que je soupçonne sérieusement Jean-Louis d'avoir tenté de m'empoisonner. J'avais vu en juin dernier le carton d'allumettes être subrepticement glissé par Christian dans la poche de son gilet et il le savait. Assis face au fond du restaurant, je reconnais derrière l'unique plante qui délimite la section fumeurs, un garçon rencontré il y a longtemps dans les bars. Pierre, je crois qu'il s'appelle. Je ressens encore aujourd'hui la même fascination pour lui. Il incarnait la splendeur même. Il a encore le visage lisse, rectangulaire, germanique jusqu'à l'œil bleu acier, un visage monolithique posé sur un cou solide, une tête que Riefensthal apprécierait. Une de ces rares étoiles des bars qui n'ait pas la peau sale. Les regards de convoitise n'ont pas réussi à altérer la grâce pure de ce jeune homme en tous points identique à son image d'alors. Il tient à la fois du prince et du guerrier. Si la Renaissance avait eu lieu en Amérique, elle aurait engendré des courtisans tels que lui. Je le surnommerai désormais Baldassare.

Le potage à l'oseille est onctueux et juste assez amer pour chatouiller les papilles. Il est servi dans un bol galbé que j'essuie avec des morceaux de pain piqués à ma fourchette. Lorsque j'aurai complété le livre, j'organiserai un grand dîner à la maison à la manière *Express* et j'achèterai chez *Arthur Quentin* des bols de faïence comme celui-ci. J'inviterai certains de mes personnages, mademoiselle Larenverse, Jean-Louis, Lambert et je cuisinerai mes plats préférés.

Lorsque Jean-Louis m'apporte l'assiette de confit de canard, je m'informe de Christian. Il n'a pas écrit, du moins pas à sa connaissance. Surprenant... Les deux cuisses de canard, un canard bien jeune ma foi si j'en juge par la grosseur des cuisses, sont servies sur une salade de frisée, d'endive et de radicchio. L'assiette est décorée de fines tranches de pâté de foie sur des biscottes. La chair, conservée dans sa graisse, a du moelleux et du parfum que le vinaigre de la salade exalte. L'acide a également pour effet d'en éliminer la lourdeur.

Deux jeunes hommes prennent place au bar. Je les aime bien ces deux-là. J'aurais même envie d'en faire le sujet principal de mon chapitre. Je leur inventerai une vie. L'un porte une chemise orange brûlé des années '60 avec une fermeture éclair sur le devant encadrée d'une série de rayures et l'autre une chemise noire. Ils sont tous les deux très pâles malgré la saison. Je m'interroge sur ce qu'ils font dans la vie... Les serveurs, rassemblés dans le coin où se trouve la caisse enregistreuse, les considèrent avec envie, surtout le grand Duduche qui en bave littéralement. Il faut avouer qu'ils sont plutôt attachants.

Les détails, comme je suis finalement assez éloigné d'eux, sont difficiles à percevoir. Puisque cette histoire de restaurant est, contrairement à mes attentes, moins une histoire d'écoute que de regards et d'observation, il me faut établir un rapport visuel exclusif avec mon sujet. Je suis distrait par la complicité pâmée des serveurs, par les clients qui me séparent d'eux. J'ai du mal à focaliser sur les deux garçons et je ne trouve rien dans leur comportement, ni posture ni geste qui m'émeuvent assez pour me faire prendre des notes. Il faut que quelque chose m'accroche. Évidemment, ces deux garçons, par leur amitié particulière, pourraient ici servir de prétexte à traiter encore une fois de l'homosexualité. Sans que ce soit un livre gay, je veux dire revendicateur, j'aime à croire qu'il portera la marque de ma singularité, qu'il sera aussi l'affirmation d'une sensibilité. Je ne voudrais pas taire ces pulsions libidinales qui me font produire et qui sont, avouons-le, le déclencheur de tant d'œuvres d'art. Au delà de la thèse, je veux apprendre à sentir l'auteur, connaître ce qui le fait vibrer. Personnellement, c'est ce qui m'intéresse dans les livres. Ce contact avec une passion étrangère me donne de l'oxygène.

Voilà que je note un détail. Sous l'éclairage blafard du restaurant, je remarque que les joues du jeune homme de droite se colorent lentement de rouge. La cause de cet afflux de sang vers la tête n'est pas le vin qu'il boit en tenant son verre par le pied mais la montée du désir. Je prends mon crayon. Je dois bien les observer car il faudra décrire leurs nuques, rasée à la tondeuse pour l'un et recouverte d'une chevelure épaisse pour l'autre. Il faudra faire état des épaules larges et maigres, du sternum imaginé à peine recouvert d'une peau transparente, de l'absence de pectoraux, de la couleur des veines vagabondes, du foncé des mamelons. Faire du garçon à la chemise noire un architecte et de l'autre un scénographe. Imaginer leur rencontre à l'École nationale de théâtre où, pourquoi pas, un stage aurait amené le jeune architecte. L'apprenti scénographe aurait fait faire le tour du propriétaire au jeune architecte trop pâle. Les faire discuter de perspective, de points de fuite, de scène à l'italienne.

Expliquer que la différence de leurs métiers, cette tension entre le temporaire et la permanence, les poussaient l'un vers l'autre. Rapporter surtout cette belle nuance de rouge qui colore ses joues lorsque que l'architecte le fixe dans les yeux. Gris, les yeux seraient gris. L'ensemble du visage comme une photographie surexposée. Je pourrai aussi évoquer le trouble. Comme il ne se serait pas passé grand-chose auparavant, on assisterait ici à une sorte de décollage anecdotique. Les coulisses désertes du petit théâtre, leurs regards, un sourire, un sourire entendu, une main sur un avant-bras, un premier baiser, les deux corps rapprochés puis soudés, lovés l'un sur l'autre au milieu des toiles enroulées, des projecteurs entassés, des câbles, la tiédeur du souffle, la moiteur des peaux, leur jeunesse, les phrases écourtées, essoufflées par l'urgence du désir. Il n'y aurait plus de paragraphes, plus de ponctuation, un long ruban de texte rapide, une sorte de vertige...

On m'apporte le roquefort et le porto. Tel que prévu je me sens, à regarder à travers mon verre de vin, en automne. Enfin, c'est l'automne dans ma bouche, dans le grenat du porto, les noix blondes, le fromage illégal qui sent la pourriture sur les biscottes craquantes comme des feuilles. J'oublie cet été trop chaud. Finalement j'ai bien fait de me présenter à *L'Express* ce soir. C'est tout de même une aventure fort agréable. Profitons-en, elles ne sont pas toujours ainsi. Et je m'attends à tout autre chose le moment de la rédaction venu. Je ne me souviendrai de rien, je ne pourrai jamais déchiffrer mes pattes de mouche. J'aurais dû soigner davantage ma calligraphie. Mais je n'ai pas beaucoup d'espace et avec l'apéro, le vin, le porto... Je verrai bien.

En attendant, je savoure mon porto et je dessine sur la nappe de papier la scène d'un petit théâtre avec ses rideaux de velours. Une fois rentré à la maison, je les colorierai de rouge et j'ajouterai des cordons de passementerie dorée.

…Nouilles aux crevettes ; Saumon grillé au sel gris ; Tarte aux fruits… (p.129)

Depuis deux semaines, en fait depuis mon retour de Vancouver où j'ai participé à une exposition intitulée Le bout de la langue, j'attends le moment propice pour retourner à L'Express. Car j'ai dû aussi me remettre de cette expérience particulière et parfois embarrassante. Faire partie, à Vancouver, d'une exposition sur les arts visuels et la langue au Québec, une semaine exactement après le référendum, ça prend du courage ou de la témérité.

Cela a très mal commencé. À mon arrivée, je me suis immédiatement rendu à la Morris and Helen Belkin Art Gallery de l'Université de Colombie-Britannique où se tiendrait l'exposition et on m'a montré le catalogue. Naturellement, ils avaient raté la reproduction de mon œuvre. La photographie qui devait être carrée se trouvait légèrement rectangulaire, on avait inversé le négatif, le passage du noir n'avait pas été renforcé comme je l'avais expressément spécifié dans une lettre, on n'avait pas respecté non plus mes recommandations quant à la mise en pages, le mot won't apparaissait en Times 24 points, si ce n'était en 30 points. Imaginez, du Times 30 points au lieu du Baskerville 12 points..., mais surtout, on avait imprimé la photo sur un fond vert acide, un vert des années soixante-dix qui annulait l'impact de l'image et ne s'harmonisait pas du tout avec le vert émeraude du propre fond de ma photographie.

Si Dieu se trouve dans les détails, j'étais bel et bien en enfer. Décidément, c'était vraiment mal parti. Ensuite, on a pensé accrocher mes photographies dans ce qui deviendrait ultérieurement une garde-robe — on venait à peine de terminer la construction de la galerie et ce réduit sans porte était encore inutilisé. Back to the closet. Finalement, j'ai réussi de peine et de misère à convaincre le directeur de me laisser dans la première salle. De surcroît, on a même songé à couper ma phrase (chaque photographie est surmontée d'un mot en bakélite — Baskerville 4 pouces — faisant partie d'une phrase extraite d'une chanson de Gershwin, The Man I Love) en disposant une des images sur un mur et les autres sur le mur adjacent, rompant le syntagme de mon œuvre. Vous comprendrez que j'étais en furie. Ensuite, il a fallu voir à l'éclairage mais le technicien est tombé malade. J'ai attendu une journée complète, assis sur un petit siège inconfortable, qu'un autre technicien soit appelé. Les plafonds sont si hauts là-bas qu'il faut une plate-forme hydraulique pour accéder aux projecteurs. Cette plate-forme fonctionne au moyen d'un contrôleur numérique et il ne se trouvait dans tout Vancouver qu'un seul technicien capable de l'opérer, à part celui attaché à l'université, et il s'occupait ce jour-là, à la Vancouver Art Gallery, de remplacer un néon dans l'œuvre de Jeff Wall, une immense photographie d'un chantier de construction installée juste en haut de l'escalier d'apparat du musée. Vous comprendrez bien que j'ai passé après Jeff Wall. Par conséquent, mon éclairage n'était pas au point pour le vernissage et c'était raté, on ne distinguait rien de mes photos tant la réflexion était forte et renvoyait l'image des spectateurs. Dire que je les avais fait monter chez un encadreur réputé et que j'avais choisi une moulure italienne très sobre, en merisier laqué noir, genre piano à queue. La laque d'un Steinway, pas celle d'un Bösendorfer qui est brillante, ça aurait fait un peu clinquant alors que celle du Steinway est satinée, beaucoup plus classique. Une moulure dessinée dans les années cinquante par Renzo Piano, justement. Si j'avais su, je n'y aurais pas tant investi, après tout une moulure n'est qu'une moulure. Et puis, il y a eu cette soirée catastrophique alors que j'ai été invité chez Stan Douglas. Ken Boom, un des convives, s'est enquis auprès du directeur de la galerie que j'accompagnais, avec un tel ton de condescendance et de dégoût, s'il était encore «stuck with all those French Canadians». J'ai immédiatement compris que la soirée était piégée. Comment réagir? Stan Douglas m'a offert un verre pour changer de sujet, mais j'ai insisté pour que Ken Loom répète sa question, ce qu'il a refusé de faire. Ils m'ont évidemment assis à ses côtés et je lui ai demandé d'où il venait car, en plus d'avoir tous les traits d'un Asiatique, les yeux bridés, les cheveux noirs et raides, la taille petite, il s'exprimait par syncopes avec cet accent dans lequel les r sont remplacés par des l. Alors, outragé par ma question,

Ken Poom s'est tourné vers le directeur et lui a lancé: «See what I meant!» Le recours à l'imparfait témoignait d'une conversation antérieure relativement à notre racisme; on ne parlait dans tout Vancouver que du fameux discours de Parizeau. Heureusement que Gina, la femme de Stan, avait confectionné un repas génial. Une salade de fenouil et de radicchio superbe, pas trop acidulée, les parfums relevés par un vinaigre à la salicorne, une pièce de chevreuil rôtie et cuite lentement dans sa marinade et servie avec une polenta légère comme un soufflé et une sauce aux champignons sauvages parfumée au baies de genièvre.

On comprendra qu'après tout cela, je n'ai pu reprendre mon projet immédiatement. Il fallait que je me remette de mes émotions, que je cesse de penser au Canada.

MERCREDI 29 NOVEMBRE

Scotch Glenlivet
Soupe paysanne
Tartare et frites
Petite salade verte
Rully Faiveley
Selles sur Cher
Beaujolais Julienas
Gâteau aux pommes

Le dîner ne commence pas à *L'Express*, ni même pendant le trajet mais déjà, au moment de réserver, j'entre dans mon chapitre, je chavire dans l'univers de la fiction. Surtout depuis que Christian n'y travaille plus, car à cette époque je n'avais qu'à lui demander de me réserver une table dans la section non-fumeurs et voilà, je raccrochais en le remerciant et je n'avais plus qu'à sauter dans ma baignoire. Il me réservait une table même si j'étais seul. Maintenant, comme je n'ai plus de relations dans cet établissement, il me faut inventer des histoires. Il m'est impossible de manger au comptoir car j'ai absolument besoin de la nappe et on consomme directement sur l'acier au bar de *L'Express*. Comme on doit toujours réserver pour deux personnes sous peine d'être confiné au bar je dois, dès la réservation, imaginer quelqu'un avec qui je dînerais et prévoir quelque chose à leur conter à mon arrivée, un prétexte plausible pour justifier ma solitude. Une excuse comme: «Vous savez, ma copine, celle qui travaille à *Parachute*, elle souffre d'une crise de foie. Oh, ce n'est pas bien grave mais c'est malheureux. Non, non, ne vous inquiétez pas...» Je mets à contribution tous mes amis connus des gens de *L'Express* pour rendre mes mensonges plus probants. Je crois qu'ils ne sont plus dupes, leur faisant le même coup depuis juin.

Après la réservation, vient le moment des anticipations. Lambert (les coupons de taxi) m'a annoncé qu'il se présenterait sans doute à *L'Express* ce soir avec un ami. Déjà je l'imagine en train de m'observer regarder, écouter et écrire. Ça me contrarie. Je me sentirai probablement épié et leur seule présence me dérangera. Peut-être même m'inviteront-ils, lui et le jeune acteur, à me joindre à eux, ce qui signifiera que je serai venu pour rien, enfin pas tout à fait car j'adore manger à *L'Express* mais, lorsqu'on prévoit travailler, s'amuser s'avère décevant. Et puis, si je dînais avec eux, Monsieur Villeneuve ne me rembourserait pas mon addition...

Arrive ensuite le temps des ablutions. Comme un rituel. Jamais de douche, toujours des bains très chauds, même pendant la canicule, où je me fais mariner longuement. Je songe à la soirée, j'imagine ce qui pourrait se produire. Je mets toujours dans l'eau de la baignoire des huiles d'héliotrope ou d'eucalyptus. Pour les grands jours, ceux où je suis particulièrement en forme, je préfère les extraits de fleurs de cédrat. C'est avec parcimonie que je verse quelques gouttes de ce précieux parfum. On se le procure chez *Guerlain*, place Vendôme. Un soir, chez le consul de France, lors d'un dîner donné en l'honneur de Marguerite Duras pour la première mondiale de *L'Homme Atlantique*, ce film tout noir réalisé avec les chutes d'un autre film, j'avais complimenté Yann Andréa pour son doux parfum citronné et il m'avait appris que c'était celui de Duras et de Barthes. Je me souviendrai toujours d'une panne d'électricité survenue au début de la soirée. Tous les gens, plongés pour quelques secondes dans la plus profonde obscurité cessèrent leurs conversations. La voix remarquable de Duras s'éleva dans le silence pour lancer un: «Tiens, le noir Atlantique.» Pendant le repas, Duras avait imité, fort mesquinement d'ailleurs, Catherine Deneuve. Je ne me rappelle pas, d'autre part, ce qu'on nous a servi. Ah oui, ça me revient maintenant, c'était des mets chinois. Marguerite Duras, ayant vécu au Viet-Nam, n'a pas trop compris pourquoi on lui faisait manger des *spare ribs sweet and sour* et du *pineapple chicken*. Elle disait toujours: «Mange pas ça Yann, mange pas ça, tu vas t'empoisonner!» Il fallait voir Madame la consul... Duras n'a touché à rien de tout le repas. Elle n'a bu que le vin blanc, du chablis.

Dans ma baignoire je pense également à ce que je porterai. Mon polo de cachemire gris pâle sous mon pull-over de cachemire gris foncé conviendra parfaitement à l'image que je veux projeter, celle d'un type à l'élégance discrète, un rien *too much*. Il faut faire très attention dans ce genre de restaurant où le sens de la hiérarchie prédomine et où une faute de goût si légère soit-elle nous fait remettre à notre place. Le regard oblique d'un voisin, une simple moue suffisent. Les chaussures sont primordiales et je porterai donc, histoire de faire anglais jusqu'au bout, une paire de Richelieu noirs à bout fleuri avec des chaussettes Argyle dans les tons de gris. Et, pour finir, toujours très décontracté, un jean Levi's 501, l'indispensable, véritable pièce de musée comme le disait justement l'autre jour Agnès (voyez comme j'ai assimilé les leçons de Vancouver; il faut comprendre Agnès B., qui affirmait qu'il y avait trois uniformes contemporains: le tailleur Chanel, le jean Levi's 501, et sa veste à boutons pression).

Dans la vie ordinaire, à l'extérieur de *L'Express*, même si ces exigences de la hiérarchie sont toujours aussi présentes, il est permis à un artiste de vivre en deçà tout en étant perçu au-dessus. Avec cet ami avocat, je ne suis pas moins bien considéré parce que je ne passe pas, comme lui, mes vacances dans les Hamptons, alors qu'à son cabinet le lieu de villégiature assure, de façon plus déterminante que les succès professionnels, le respect qu'on vous portera. Ce regard affectueux et permissif porté sur nous les *artistes* constitue peut-être le seul avantage social à «en être». Un bien maigre avantage, croyez-moi, car il n'opère qu'avec les gens sensibles aux arts ou qui veulent en avoir l'air, c'est-à-dire 5% de la société québécoise. Au maximum. À tous les autres, «en être» en impose encore moins que l'assistance sociale.

Bien que partageant la même case dans le grand jeu des mondanités, il faut préciser qu'entre nous, divins artistes, la hiérarchie est tout simplement intransigeante. À Vancouver par exemple, nous étions huit artistes occupant des positions différentes dans l'échelle invisible de la réputation. On y comptait deux stars incontestables: Geneviève Radieux et Barbara Steinfrau. Tous les autres devenaient leurs satellites ou gravitaient dans un système solaire tellement éloigné du leur qu'on ne soupçonnait même pas leur existence. Et on nous le faisait savoir par des signes d'autant plus cruels qu'à peine perceptibles. On rapporte que la lame des guillotines tranchait avec une telle précision qu'une tête remise sur son cou ne laissait transparaître qu'un trait rouge d'une finesse inouïe. Cette supériorité hiérarchique est si puissante, ses effets si déterminants que, même si le projecteur se détourne de ces deux têtes, elles seront pour toujours enveloppées de l'aura tenace de leurs succès passés, illuminées de cet événement fabuleux que le monde, un jour, les a regardées. Je dois bien admettre malgré moi qu'une petite lueur diamantaire brillera pour toujours au fond de leurs yeux et nous condamnera à notre médiocrité. Nous, les autres, en serons quittes pour l'amertume et la rancune... Ces gens parviennent sûrement à extraire de leur gloire un suc secret, un baume régénérateur essentiel, une eau de jouvence miraculeuse, un fluide magique qui compensera pour l'oubli qui risque à tout moment de les frapper. Il suffit, pour comprendre, de penser à quelqu'un sur qui l'œil du monde s'est un jour braqué. Peut-on lire sur les visages vieillis de Marlene Dietrich et de Greta Garbo ou, mieux encore, de Joan Crawford et de Bette Davis les empreintes d'un bonheur que leur gloire passée aurait su graver?

Le chemin entre chez moi et le restaurant est déjà recouvert de neige comme on le retrouverait normalement en février. Luc m'installe juste derrière Lambert mais ce dernier ne m'a pas remarqué, trop occupé à s'entretenir avec son compagnon, un grand blond merveilleusement beau que j'ai connu à Brébeuf. Sa maman venait toujours le chercher à la fin des cours, elle l'attendait debout, à côté de leur voiture de sport, une MG rouge, garée devant l'hôpital Sainte-Justine et je me souviens précisément de son grand manteau d'ultra-suède vert clair, de son col relevé et de ses long gants de cuir fin qui disparaissaient sous ses manches cocktail. Ils riaient en démarrant et je les regardais filer jusqu'au bout de la Côte-Sainte-Catherine en me mordant les lèvres. Lambert et le grand blond ont été ensemble pendant cinq ans. Peu de temps après leur rupture, le grand blond qui ne s'en remettait pas a fait livrer au bureau de son ancien amant cinq douzaines de roses, des baccarats rouges je crois. Cette montagne de fleurs que seules les divas reçoivent, ainsi que les Hamptons, ont réussi à hisser mon copain au sommet de l'estime et de la reconnaissance de son cabinet. Il faisait désormais partie du gratin. Le lendemain de la réception des roses on lui proposait de devenir actionnaire. Les fleurs n'ont malheureusement pas eu d'autres répercussions.

En buvant un scotch, je passe à travers une liste des plats déjà consommés que j'ai tapée à l'ordinateur. Venant aussi à *L'Express* parallèlement à mes chroniques, je ne sais plus ce que je mange dans le livre, et dans la vie. Je choisis la soupe paysanne et le steak tartare. Enfin, c'est ce que j'écrirai pour respecter mes engagements et ne pas me faire attraper par Monsieur Villeneuve à qui j'avais promis que je ne choisirais que les plats du menu *imprimé*, je ne suis pas censé commander ce qui apparaît sur les petits cartons. Je ne prendrai pas la soupe car les huîtres reviennent au menu et je ne peux y résister. Il faudra que je raconte dans le chapitre 14 comment mon père mangeait les siennes... Je l'inscris sur la nappe pour ne pas oublier. Je ne peux pas demander non plus le steak tartare car mon cousin a souffert l'an dernier de la maladie du hamburger et plus personne dans la famille ne s'y risque désormais. Je prendrai plutôt les suprêmes de pintade aux champignons...

Jean-Louis vient me saluer. Nous bavardons un peu avant que le garçon assigné à ma section ne vienne prendre la commande. Il m'apprend que ce n'est pas lui le batteur mais Stéphane. Bruno arrive sur ces entrefaites et, troublé par les révélations de Jean-Louis, je le nomme Nicolas. Jean-Louis me reprend avec délicatesse:

— *Bruno*, quant à lui, est notre lecteur incontesté!

Une fois seul avec Bruno, je lui demande quel est son auteur favori. Ce n'est pas que ça m'intéresse particulièrement mais je pense que Jean-Louis a peut-être dit ça pour me faire comprendre que Bruno lisait sur mon épaule les notes que je consigne depuis un an et je saurai à son ton s'il est un véritable amoureux de la lecture ou un petit curieux. Il avoue aimer particulièrement Pierre Magnan, pour ses romans policiers. Il a tout lu de lui. «Le lire est un véritable plaisir, ajoute-t-il, ça se passe toujours dans des petits villages de Provence, son écriture sent le thym et la lavande.» Même dans la lecture Bruno reste fidèle à la gastronomie. En disant cela ses yeux deviennent brillants et ronds comme des baies sauvages. Son enthousiasme est contagieux et je me propose de me procurer un de ces livres dès demain. J'ai eu tort de douter de Bruno et de soupçonner un sous-entendu dans les propos de Jean-Louis.

Bruno m'apporte ma soupe paysanne, une bonne soupe aux légumes comme nos mères en font, une soupe où flottent, sur un simple bouillon parfumé de sarriette, des rondelles de carottes, des cubes de rutabaga et des morceaux de céleri biseautés. *Mes huîtres sont servies sur un lit de glace concassée et disposées en cercle autour d'un demi-citron taillé en pointes. Elles sont petites, pas comme celles qu'on mangeait à la maison.* Je me plonge immédiatement dans mon livre. Pour le moment je lis *Le voisin* de Nelson de Mille. Je l'ai apporté à cause du titre. Je m'amuse à repérer dans le texte les endroits où l'auteur aurait suspendu momentanément l'écriture. On ne peut pas pondre 667 pages sans effectuer des pauses. J'essaie de les déceler, je scrute le texte pour découvrir les changements de ton, de couleur. Ce n'est jamais tant l'histoire qui m'intéresse que de retrouver l'auteur *écrivant*. *Et je savoure mes huîtres citronnées et poivrées entre deux gorgées de Rully bien frais.* Ce livre ne me sert même plus de paravent, j'acquiers une sorte d'assurance à mesure que j'avance et je n'ai plus peur d'être démasqué comme il y a un an. Je lis désormais pour le plaisir. Le narrateur du *Voisin* a des perversions sexuelles très littéraires, presque mythologiques. Il situe ses ébats au milieu de pavillons romains, de statues classiques qui me rappellent ce jeune homme rencontré par l'intermédiaire des petites annonces de *Voir*. Il se plaisait à mimer certaines positions érotiques empruntées à des illustrations de romans grivois du XVIIIe qu'il collectionnait. Il parcourait avec ses amants des albums aux pages jaunies, examinait avec eux des gravures à la pointe sèche extraites de vieilles éditions de *Justine*, et ensuite ils reprenaient ensemble les positions étudiées. Ce jeune homme était très beau mais je ne lui plaisais pas.

J'ai perdu, ce jour-là, la seule possibilité que la vie ne m'aie jamais offerte de m'inspirer des ouvrages anciens. Je replonge dans mon livre et je vois: «Rien ne vaut l'amour au milieu des ruines.» Surnageant parmi le brouhaha des conversations, Ella Fitzgerald chante *The Man I Love*.

J'entends Lambert parler à notre ami commun d'un de ses clients, ou plutôt rapporter ce qu'un de ses clients aurait révélé au sujet d'un autre financier. J'entends immédiatement ses voisins nommer le financier. Je constate alors, par le reflet du miroir, la frousse de Lambert d'avoir outrepassé les sacro-saintes lois du secret professionnel. Il aura été pendant quelques secondes un des relais de *L'Express*. Il s'est fait prendre au piège du bruit de fond, cette incroyable rumeur du restaurant. On ne se méfie jamais assez...

Le tartare est aussi bon que le premier, mangé à la *Closerie des lilas* en 1983 avec René, le critique d'art. Le steak est grossièrement haché, ce qui évite l'effet de purée de viande trop souvent servie dans les restaurants de deuxième catégorie. Le tartare de *L'Express* est bien relevé de moutarde et d'échalote. Les frites sont fines et croustillantes comme d'habitude et je m'empiffre de cornichons au vinaigre de vin. *Les suprêmes et le cuisseau de pintade sont déposés en étoile sur un petit monticule de lentilles agrémenté de losanges de courgettes passés au beurre.*

La sauce demi-glace aux champignons qui nappe le plat,
légèrement épaissie à la fécule, enrobe bien les belles tranches
de champignons parfumés. Un délice. Lorsque j'en aurai
terminé avec cette histoire, je crois bien que cette pintade figurera
sur le menu de mon dîner Express, même si c'est une pintade
volée en quelque sorte, puisque je n'aurais pas dû la manger.

Je n'ai jamais adressé la parole au *bus boy* qui vient de retirer mon assiette, peut-être un des employés les plus discrets de la maison, un type mystérieux, un peu trapu comme on en voit souvent dans les campagnes, extrêmement professionnel, qui ne se permet aucune familiarité avec la clientèle. Cette fois je tente un rapprochement et je m'enquiers s'il est lui aussi musicien comme certains de ses confrères. Je tombe dans le mille puisqu'il a étudié la contrebasse au conservatoire et a joué quelque temps dans l'Orchestre des Jeunesses musicales. Il m'avoue, un peu amer, qu'il a dû vendre son instrument et qu'il travaille ici maintenant. Je voudrais disparaître. Il a troqué sa contrebasse contre des assiettes de suprêmes de pintade que je mange devant lui, sans même les payer. Je ne sais pas quoi rajouter.

Catherine Béguin vient d'arriver, tout en noir, aussi jolie qu'au premier rang du gala des Masques. Elle attend des amis dans l'entrée. Daniel Lemeilleur arrive avec d'autres personnes du Théâtre des Trois Mondes et ils vont tous s'asseoir au fond, dans la section fumeurs. C'est vraiment trop loin pour que je puisse même les entrevoir dans la glace. Catherine Béguin me fait penser qu'il y a bien longtemps que je n'ai aperçu mademoiselle Larenverse. J'aurais aimé qu'elle devienne le personnage central de mes chroniques. Il aurait été intéressant de voir la relation évoluer lentement entre elle et le narrateur, de chapitre en chapitre. J'aurais aimé qu'il en tombe finalement amoureux. On aurait appris dans la postface qu'il expose maintenant sa production dans cette galerie de la rue Sherbrooke tant méprisée au début du récit. Le lecteur comprendrait alors la fausseté intéressée de cet amour inespéré du narrateur pour la comédienne. Ce qui le rendrait encore plus détestable. Puisqu'il est artiste, je voudrais mon narrateur mesquin, menteur, fourbe, manipulateur, paranoïaque, égocentrique, superficiel et vicieux, se délectant, toujours curieux, du moindre potin, s'excitant à la moindre allusion sexuelle. Le lecteur y trouverait son compte.

C'est fou, je ne pense presque plus à regarder les gens dans la salle orange; je suis davantage préoccupé par ce que je vais écrire. Je consigne tout pour ne rien oublier.

C'est le moment du fromage et mon copain m'a finalement repéré par le jeu des miroirs; je ne suis pas le seul dépositaire des trucages architecturaux de *L'Express*. On prétend d'ailleurs, par ces jeux suspects au moyen des miroirs, que ce restaurant est devenu l'antichambre du stupre et du lucre. Mon copain m'invite à sa table et je demande à Bruno s'il voit un inconvénient à ce que j'accepte car, après tout, ça ferait deux tables à dégager au lieu d'une pour le jeune contrebassiste tristement recyclé dans la restauration. «Faites comme chez vous», me répond Bruno. Je m'assois donc à la table voisine qu'il a rapprochée de celle de mes amis. Je mange avec eux mon fromage, le café-dessert et j'accompagne Lambert pour le calvados. Ils s'informent de mes chroniques. Si Lambert apprenait que je veux y parler de ses coupons de taxi, il trouverait ça moins drôle. Je me suis bien gardé de lui en glisser un mot. Je leur annonce que j'ai enfin rédigé ma postface. Je crois qu'elle jettera un nouvel éclairage sur tout le projet, qu'elle donnera lieu à une seconde lecture. Je rajoute que j'ai eu du fil à retrodre avec les temps des verbes étant donné que les événements n'étaient pas encore advenus. Pendant ce temps, Bruno m'a griffonné une liste des livres de Pierre Magnan et me la remet.

Le commissaire dans la truffière
La maison assassinée
Les charbonniers de la mort
La naine
La folie Forcalquier

Je suis honoré de cette intimité avec un des membres du personnel de *L'Express* et je crois que mes amis en sont impressionnés.

Jean-Louis, bien moins intéressant depuis qu'il n'est plus batteur, nous remet l'addition. Je la paye avec une carte de crédit car elle s'élève à près de cent dollars. Non mais, quel plaisir que ce travail!

Sur le chemin de retour je m'interroge si je ne devrais pas faire jouer à Jean-Louis un mauvais rôle dans l'histoire du trafic de fromage. Je pourrais l'humilier. Le dépeindre faible et pitoyable. Il pourrait recevoir, par exemple, une bonne raclée de Ginette. Comme Jean-Louis n'est plus batteur, j'en ferai un battu.

J'ai quitté le restaurant sur un arrangement du *Gestillte Sehnsucht* de Brahms. Une version répugnante. Il faudra que je fasse parvenir à la direction l'enregistrement de Sena Jurinac. On n'a pas idée de faire jouer une musique semblable à L'Express.

Je suis passé chez Champigny, rue Laurier, demander à Louise, ma libraire favorite, un livre de Magnan. Il n'en restait plus que deux, Le sang des Atrides chez Folio et le nouveau, dans l'édition originale beaucoup plus chère. Sans savoir si j'allais aimer ça, j'ai choisi l'édition de poche.

C'est bientôt Noël et je sors faire des courses, rue Sherbrooke. Un immense nuage anthracite flotte au-dessus de Montréal comme un gros tas de mauvaises pensées. Il avance pataud, d'ouest en est en chassant impudiquement la lumière du jour. Je cherche un cadeau pour S. J'aimerais lui offrir un beau chandail. Je vais chez Renfrew récemment rénové, agrandi, lifté. On a préservé les anciennes façades et démoli tout l'intérieur. Très érable et acier, genre CCA. Je ne pouvais faire mon choix, tout convenait à S. Ils ont reçu cette saison des pulls en mérinos d'une finesse incomparable, des sweaters en cachemire de Tsé absolument fabuleux. Un en particulier, épais comme de la laine du pays, bleu peacock, chiné, pour un petit millier de dollars. Ils présentaient une superbe collection d'Argyle mais S. n'apprécie guère le style anglais des années '40. Il préfère DKNY; que voulez-vous, il est si jeune. Pour ma part, si je choisis d'investir sept cents dollars (lorsque je les ai, ce qui est rare; je devrais peut-être soumettre à la direction de Holt Renfrew un nouveau projet de chroniques…) j'opte pour un style classique, comme un sweater à col roulé confectionné dans une matière prestigieuse plutôt qu'une coupe peut-être originale mais qui passera d'autant plus vite.

Ne sachant pas sur quel tricot arrêter mon choix, je remonte au département des cravates. J'aperçois quelqu'un dans la section des chapeaux, affairé à examiner une casquette, un jeune homme blond que je crois reconnaître. Sans me rappeler précisément qui il est, je m'avance vers lui avec l'empressement de celui qui retrouve un vieil ami, par hasard. «Bonjour, comment ça va?» lui dis-je d'un ton enthousiaste. Il me dévisage surpris et s'excuse, il ne se souvient pas de moi. Lorsque nos regards se croisent je me rappelle soudainement que je ne connais pas ce garçon, mais je me le suis fait mien en quelque sorte puisqu'il est un des personnages de mon roman. En effet, c'est le jeune homme en jean et T-shirt qui mangeait avec sa sœur. Celui qui avouait sa terrible maladie, celui que j'aurais aimé réconforter de ma main chaude. Je l'avais complètement intégré à mon existence, pour moi il était devenu singulier, important, presque familier puisque son histoire dérobée m'avait investi. Je me retrouve devant lui, connaissant plus de sa vie que je ne le devrais. J'ai le choix de m'excuser et de m'esquiver derrière un prétexte facile, d'alléguer une étonnante ressemblance avec quelqu'un d'autre, ou de lui dire la vérité. Je lui avoue mon projet, sa manière. J'ajoute que j'avais surpris son aveu difficile et qu'il m'avait touché, que son courage m'avait ému. Au début, il semble offensé de mon indiscrétion, mais sentant ma véritable compassion il accepte finalement mon invitation pour un café chez Toman. Il achète une casquette de suède émeraude qui lui allait à ravir et moi je décide de revenir une autre fois. Le hasard m'a permis de rencontrer un de mes personnages, je ne vais pas passer à côté.

Les Toman, originaires de Tchécoslovaquie, ont ouvert ce petit café depuis très longtemps, j'y allais lorsque j'étudiais à l'université Concordia dans les années '80. Il serait plus approprié de dire un petit salon de thé. Il est situé au premier étage d'un vieil édifice de la rue Mackay. On sert chez Toman de délicieux petits gâteaux faits de noisettes et de chocolat noir, des bouchées parfumées à l'eau-de-vie. La décoration y est si fade qu'on se croirait en Europe de l'Est, des images délavées de Prague, des fleurs séchées poussiéreuses, des statuettes de la Vierge et même une reproduction de la dernière Cène de Léonard. Mais les petits gâteaux sont merveilleux et l'endroit est quasiment toujours désert.

Nous nous assoyons à une table retirée, dans le coin gauche, et je le convie à me suivre au comptoir des gâteaux empilés en cônes sur des assiettes de verre taillé. Nous choisissons des gâteaux aux amandes et à la poire William. Il commande un cappucino et moi un verre de lait. Revenus à notre table, il me dit se souvenir des propos de sa sœur. Elle avait remarqué un type devant elle qui écrivait sur sa nappe de papier, elle n'avait pas déduit que je transcrivais leur conversation. «Tu sais, m'avertit-il, tu es la seule personne à connaître cette histoire à part elle et les médecins, naturellement.» Étrangement, je le sens en parfaite confiance avec moi. J'imagine son soulagement de pouvoir enfin en discuter avec quelqu'un. Il ne s'informe pas de ce que j'avais écrit sur lui, sur sa conversation. Il s'abandonne complètement à celui qui lui a dérobé son secret, comme on se livre à la justice après avoir perpétré un crime. Ses yeux gris me scrutent pendant qu'il me parle comme s'il y avait un aimant derrière. Je n'aurais pas cru possible qu'un regard gris si clair puisse être si chaud, incandescent, si dangereusement puissant. Il m'avoue avoir contracté le sida en fréquentant une phrase de Stendha trop assidûment: La beauté est une promesse de bonheur.

Et maintenant poursuit-il, je dois m'acheter des casquettes, des chapeaux, des bérets car on me fera bientôt subir des traitement de chimiothérapie et je perdrai sans doute mes cheveux. Il fait partie d'un protocole suivant lequel il doit prendre trente pilules par jour, du Saquinavir, du DDI, de l'AZT, du DDC, du 3TC, tous ces médicaments aux noms vulgaires de voitures. Je lui demande s'il a essayé toutes les voies parallèles, l'ostéopathie, l'acupuncture, l'homéopathie... Il m'assure qu'il a tout essayé, les aiguilles, les manipulations, les thérapies de groupe où l'on doit se tenir par la main. «Ah!... ajoute-t-il, ces gens si maigres avec une telle rage au fond du regard, ces gens au cou fragile, aux yeux creux comme des puits sombres, au visage cireux entouré de pauvres mèches de cheveux sans lustre aucun.» Il avait dû toucher à ces gens à l'apparence de sa destinée, il avait caressé le corps anonyme de sa propre mort. Là-bas, il avait rencontré une des figures les plus intéressantes du show-business montréalais. Je sens que cela ferait un scoop terrible et j'attends avec fébrilité sa trahison mais il ne me divulgue pas le nom du célèbre condamné de l'avant-garde. Le jeune homme blond a également essayé les médecines plus exotiques, les griffes de chat broyées, les cartilages de requin dissous dans des concentrés d'agrumes, les mégadoses de réglisse noire.

Il m'explique qu'il est possible de vivre avec le mal au fond de soi, de le supporter, de le transcender, de l'oublier parfois mais qu'il est absolument impossible de s'accommoder des signes extérieurs du mal. Les miroirs deviendront bientôt ses pires ennemis, immobilisé au seuil du cycle impitoyable, devant cette révélation du corps comme surface contaminée. La promesse de bonheur permutait en sentence. Cette maladie ne serait-elle réelle que dans le regard, celui des autres et le sien propre? Il constatait maintenant la supériorité du cosmétique sur celle désormais vaine et illusoire d'une quelconque humanité.

Avant de quitter il me dit: «J'aimerais que tu m'embrasses en échange de mon histoire.» Je lève mes mains de la nappe blanche et prends son visage comme on prend celui d'un petit enfant. Je dis: «Tu vois, je t'embrasse.» Et devant les neuf clients et les deux propriétaires stupéfaits derrière leur comptoir j'appose mes lèvres sur sa bouche tremblante.

JEUDI 14 DÉCEMBRE

Muscat de Rivesalte
Terrine de foie gras de canard
6 huîtres
Chardonnay Latour
Pot-au-feu
Bourgogne
Îles flottantes

Je me suis levé triste et, toute la journée, le suis demeuré. Je ne savais pas vraiment pourquoi. Le soir venu, je découvre la cause de ma tristesse, c'est mon dernier repas à *L'Express*, la fin d'une expérience. Il faudra maintenant le rédiger ce foutu livre. Je le souhaiterais lumineux comme une sonate de Poulenc, léger comme une mélodic de Canteloube. Je voudrais que ça coule comme du beurre, qu'on ait le goût de lire et de lire encore, comme on engloutit une crème anglaise, goulûment. Je voudrais un livre gourmand. Ce soir, une page de ma vie est tournée. Plutôt le recto de cette page lumineuse car ce qui m'attend de l'autre coté, au verso de toute cette aventure, le travail de remémoration, de construction, d'écriture, n'offre malheureusement pas le même plaisir gratuit. Le verso des chroniques, leur face cachée, cette page sombre et lourde comme un retour à l'école après un bel été de vacances, cette porte à franchir me pèse aujourd'hui alors que j'en suis au seuil.

Je décide de profiter au maximum de ce dernier épisode et une fois de plus la toilette devient un rituel. Je commence par mettre dans ma chaîne stéréo un enregistrement du troisième quatuor de cet opus 20 de Haydn anciennement surnommé *Quatuors du soleil*. Le troisième mouvement, *poco adagio*, est tout simplement sublime. Je me fais couler un bain et j'y verse délibérément un peu trop d'eau de fleurs de cédrat. Pour parfaire l'ambiance j'allume un long cierge de cire d'abeille, une chandelle d'église achetée dans cette boutique d'accessoires liturgiques de la rue Sherbrooke où se trouve actuellement le Centre international d'art contemporain. Je me laisse tremper dans ma baignoire toute la durée du quatuor. Ensuite je me sèche avec une serviette de lin sauvage en me frictionnant vigoureusement. Cette serviette agit comme un gant de crin. Pour me raser j'utilise une crème anglaise, l'Arlington de Harris & Co. et, à l'aide d'un blaireau de voyage en fer-blanc, je la fais mousser dans une tasse de grès achetée chez un antiquaire. Cette tasse, spécialement conçue pour le rasage, offre la particularité d'être munie d'un bec verseur grâce auquel on contrôle la densité de la mousse en versant le surplus d'eau dans l'évier; ce bec empêche la mousse de s'écouler. Pour les grandes occasions, j'utilise toujours le rasoir au manche d'ivoire qui provient de mon grand-père. Je rince ensuite mon visage avec de l'eau d'hamamélis, un astringent qui resserre les pores de ma peau. Pour apaiser le feu du rasoir, j'applique ensuite un baume après rasage d'Armani. Je me coiffe avec les doigts, il faut avoir l'air décontracté. J'enfile un pantalon de velours noir, un col roulé noir aux rayures grises. Je complète mon déguisement avec ma veste Missoni dont le tweed se compose d'un savant mélange de fils multicolores: des bleus pétrole et céruléens, des verts de vessie et de phtalo, du terre de sienne brûlé et même du rose tyrien se mêlent à des gris fer, ardoise, fumée, souris, de Payne. De loin, on ne distingue que le gris du tweed et c'est en se rapprochant que le tissu révèle sa véritable complexité chromatique. Il en est des tissus comme de toutes choses.

Il fait une tempête terrible sur Montréal et tout le Québec. Comme l'administration municipale s'est retirée des pourparlers avec leur syndicat, les cols bleus ne ramassent plus la neige qui s'accumule et mon chemin vers *L'Express* se trouve parfois obstrué par des amoncellements de trente centimètres. Je dois garder la tête inclinée vers le sol car le vent glacé me pique les yeux et puis ça ne donne rien d'essayer de regarder droit devant soi, la rafale est si forte qu'on voit à peine plus loin que le bout de son nez. Il n'y a plus d'horizon qu'un grand plan blanc poudreux vaguement translucide. La neige au sol est encore d'une blancheur immaculée. Elle étincelle sous la lumière des réverbères, légère comme du sucre à fruits.

Un choc m'attend à *L'Express*. Les propriétaires ont entrepris des travaux de rénovation. On a retiré les grandes glaces pour les nettoyer. À la place, on a vissé au mur des feuilles de contre-plaqué d'égale grandeur. Certaines d'ailleurs ont été peintes et d'autres en voie de l'être puisqu'on leur a déjà appliqué une couche de gesso. Je retrouve mon *Express* ce dernier soir entre restaurant et chantier. En enlevant mon manteau, un duffel-coat en duvet d'oie, quelqu'un m'accroche le bras en voulant suspendre le sien à un des cintres. C'est mademoiselle Larenverse qui s'en va! Elle me tourne le dos et je ne peux apercevoir son visage mais je respire son parfum si doux. Je suis enveloppé des effluves d'Eau d'Hadrien d'Annick Goutal. Mademoiselle Larenverse porte un chemisier de soie citrouille. Elle est complètement décoiffée; ce doit être son *look* artiste. Elle garde son trois-quarts de mohair noir sous le bras et retourne dans la salle. Elle a reconnu une amie qu'elle salue en lui caressant l'épaule. Nous nous sourions lorsqu'elle repasse devant moi pour sortir. Je suis déçu d'être venu si tard ce soir, moi qui voulais tant la revoir une dernière fois. Je suis fâché contre moi-même, je regrette ces préparatifs trop longs et ridicules. J'aurais pu lui faire porter un billet, lui sourire dans la glace après qu'elle l'aurait lu, mais non, suis-je bête, il n'y en a même plus, on les a remplacées par des panneaux, c'est vrai... Je ne pourrai même pas observer discrètement mes voisins. Par la porte vitrée, je regarde mademoiselle Larenverse se diriger vers le sud, aussitôt dissoute par la tempête. Je me console en me disant qu'une seule soirée n'aurait probablement pas suffi à séduire une femme. Surtout avec l'expérience que j'ai d'elles... Je reconnais la personne que mademoiselle Larenverse a embrassée. Il s'agit de Marie Saint-Père, la jeune *designer* de mode montréalaise. Elle a probablement gagné une griffe d'or ou quelque chose du genre pour que je la reconnaisse, les médias ont dû en parler récemment car je ne m'intéresse absolument pas à ce milieu-là. Elle est assise avec trois autres femmes. J'avais imaginé la tenue de ville des gens de la mode plus exubérante. Étrangement, une des trois copines éclipse la couturière. Elle porte sous un caban de tweed caca d'oie une blouse au col châle en faille mauve. Ces deux couleurs ne tiennent ensemble que grâce à cette grosse bague de résine orange, pièce de musée, issue directement des *seventies*. C'est fou ce que peut produire une simple petite bague de plastique. Elles se lèvent, elles ont terminé leur repas. Ma préférée porte des jodhpurs taupe et de longues chausses de cuir. Elle a vraiment de la gueule. Il faudra noter avec précision ses vêtements sur ma nappe pour, éventuellement, effectuer un rappro-chement avec les aquarelles nord-africaines de Delacroix car je n'ai pas de papier sur moi.

Je me rends au comptoir. Luc ne pouvant me placer tout de suite m'avait dit: «C'est incroyable ce soir, je n'ai jamais vu les gens prendre leur temps comme ça, comme s'il n'avaient rien à faire, comme s'ils avaient toute la vie devant eux, et pourtant avec la tempête... Vous devriez vous asseoir au bar et prendre un apéro.» Monsieur Masson travaille ce soir et me recommande un petit muscat: «C'est sympathique le muscat, c'est léger, c'est parfumé.» Allons donc pour le muscat! Boris Vian chante *J'suis snob*, Monsieur Masson fredonne en souriant. C'est son pote, Boris. À moi aussi... Je salue même Duduche qui me rend mes salutations en me souriant. Duduche qui me sourit, il doit savoir intuitivement qu'il s'agit de mon dernier soir. Mais je suis bon joueur et je lui rends son sourire. Entre deux arrivages de clients, Luc s'installe à côté de moi et j'en profite pour prendre des nouvelles de Christian. Ils ont reçu dernièrement une lettre plutôt laconique dans laquelle il dit s'être inscrit à l'Institut national agronomique de France. Il chercherait à acheter une ferme dans les environs. Je n'en crois rien. Je pense plutôt qu'il veut berner l'organisation, leur faire croire qu'il n'est plus dans le coup pour revenir en force et contrôler le marché. C'est un petit rusé, Christian. Je l'imagine facilement planifiant tout depuis son institut. Je fais remarquer à Luc qu'il m'apparaît bien étrange que Christian se décide du jour au lendemain à devenir *gentlemanfarmer*. Luc me répond que, sous ses airs policés, se cachait un véritable hippie. Christian, un hippie! Faites-moi rire! Le filou du chabichou, l'arnaqueur de coulommiers, le padrone du gorgonzola, le caïd de la pâte molle plutôt.

Duduche me place finalement à la table juste devant la grande fenêtre de la façade. Je choisis de m'asseoir dos à la rue et le restaurant s'offre à moi dans son ensemble tel un profond couloir, une caverne d'Ali-Baba, un grand bateau dont je serais le capitaine installé à la barre, scrutant l'horizon, sondant l'infini. Je discerne très bien tous les gens assis en enfilade jusqu'aux photographies sur le mur du fond. Je suis assis à la première loge pour le spectacle.

Pour ne pas indisposer la clientèle, les contre-plaqués ont été peints pour la plupart en trompe-l'œil. On a voulu imiter les reflets dans la glace, créer un effet de miroitement en les badigeonnant à grands coups savants de brosse d'un mélange de blanc de titane, de noir de bougie et de jaune de Naples. On a entièrement recouvert les panneaux de ces nuances de gris argenté et mat. Des coulisses de blanc de zinc et des frottis de terre verte accentuent la sensation de reflets moirés. Lorsque ces faux miroirs entrent dans ma vision latérale, depuis mon poste d'observation, l'effet est saisissant. De face cependant, la magie s'estompe et la supercherie apparaît, grossière, voire grotesque.

Le *bus boy* contrebassiste s'enquiert de ce que je désire et comme c'est mon dernier soir, je sais déjà ce que je vais prendre: la terrine de foie gras et le pot-au-feu. Une combinaison de saison spécifie-je. Je lui demande un verre de sauternes mais ils n'en ont pas, enfin ils ne le servent pas au verre. Au prix qu'est le sauternes je ne vais quand même pas en commander une bouteille même si ce n'est pas moi qui paie, on ne peut pas le gaspiller. Alors je reprends du muscat. La terrine de foie ressemble à une tranche de marbre blond veiné de rose. La tranche est épaisse et bien centrée dans son auréole de cubes de gelée ambrée. On m'apporte un porte-toast garni de pain grillé, tiède. Je déguste mon foie en même temps que le vin, en laissant s'infiltrer dans le pain un mince filet de muscat qui exhale dans la bouche une vapeur fleurie. Ensuite, je presse le foie sur mon palais pour en extraire ses saveurs de noisette et d'amande. Juste cette sensation crémeuse dans la bouche justifie la réputation de ce mets prestigieux. Cela ne goûterait rien qu'on en redemanderait.

Mes voisins français, criards, ont presque réussi à gâcher mon plaisir; heureusement, ils s'en vont peu de temps après le début de mon dernier repas. J'ai plus de chance avec mes voisines de droite. Je n'entends rien, elles chuchotent. Elles se sont offert des cadeaux de Noël, je les vois au pied de leur table, rapidement remballés et regarnis de leurs rubans. L'une d'elles cherche quelque chose dans son sac à main en marocain grainé noir. Je lis, à même le cuir repoussé, *by Paloma Picasso*.

J'ai terminé la terrine et j'attends le pot-au-feu. On apporte des huîtres à mes nouvelles voisines et je me dis que, tant qu'à faire dîner de Noël, allons-y pour les huîtres. J'interpelle Duduche et je lui demande s'il est possible de retarder un peu mon pot-au-feu, j'aimerais avoir des huîtres. Il me répond que tout est possible à *L'Express*, on peut tout retarder. Tant d'empressement à mon égard aurait été impossible il y a un an, le foie gras doit en imposer. Je choisis de boire un chardonnay Latour, qui accompagne bien les huîtres quoique je préfère le riesling malgré ce qu'on pourrait prétendre. Je pense, après deux muscats et un demi-verre de chardonnay, que le bonheur après tout serait de toujours travailler sans se préoccuper des sous, sans se soucier du temps qui passe, pour presque rien, quelques phrases, comme si on avait le luxe de toute sa vie. Tout ce que le jeune homme blond n'aura jamais plus. Le luxe inouï de toute la vie...

Je commence à avoir le vin triste, il est temps que l'on m'apporte le pot-au-feu. Ah, le voici, un vrai pot-au-feu avec un os à moelle, une côte de bœuf, une patte de porc et des légumes savoureux, des carottes, du poireau, du chou de Savoie, des pommes de terre taillées en ballons de football. Un goût de beurre et de laurier. Un verre de bourgogne Passetoutgrain et je parviens presque à oublier le jeune homme blond. Lorsque je l'ai embrassé l'autre jour il a gardé les yeux ouverts, ses yeux gris comme l'immensité et j'ai cru un moment qu'il me volait mon âme. Il m'a soufflé dans l'oreille: «Tu sais, je saurai bientôt ce qu'il y a au fond du gouffre.»

Je n'ai plus vraiment faim mais un nouvel employé s'informe si je désire un dessert. Il me plaît bien ce petit nouveau. On dirait un Papageno, tout blond, les pommettes rouges. J'accepte en pensant que ça devrait lui faire plaisir alors qu'il s'en moque éperdument. Je lui fais décrire les desserts pour le garder un peu auprès de moi, sa présence me réconforte. Il me recommande le dessert glacé aux framboises et aux pistaches mais, comme je le connais bien, je choisis les îles flottantes. Il repart vers le fond du restaurant, je crois que j'ai manqué de tact, j'aurais du prendre celui qu'il me conseillait si gentiment.

L'alcool m'a monté à la tête. Ça commence à tanguer dans le restaurant. La mer est bilieuse et maussade, le jeune homme blond m'obsède, il faut penser à autre chose. Je me lève pour aller aux toilettes. Je demande un verre d'eau à Bruno en passant.

— Vous savez, m'avoue-t-il, je sais très bien ce que vous faites ici.
Je lui demande s'il a compris cela depuis longtemps? Il me répond:
— Depuis le début, Monsieur Motrin.

Je n'ai plus rien à observer, plus d'encre pour écrire. Quoi qu'il en soit, le restaurant est maintenant presque vide. Il est minuit. Encore quelques personnes s'attardent dans la section fumeurs mais les plantes me les cachent. Les deux couples du bar me sont devenus inaccessibles à cause des travaux de restauration des glaces. La peinture n'offre aucun reflet. Le restaurant est désormais une grande boîte à chaussures ocre et gris, un caveau. Je suis seul à un bout, devant un dessert trop riche et la tête me tourne de plus en plus. J'ai le foie engorgé. J'aurais dû faire attention, les huîtres, le foie gras, l'os à moelle du pot-au-feu, le vin sirupeux de muscat, le blanc, le rouge... Et maintenant ces îles flottantes flasques et molles sous leurs calottes de caramel croquant et qui baignent dans leur mare de crème anglaise.

Soudain, c'est le noir total, une panne d'électricité! Tout le restaurant est plongé dans l'obscurité la plus profonde, excepté moi assis dans le faible halo blanchâtre des lueurs de la rue. J'entends des ho! surpris, des rires nerveux, une sorte de grognement venu du fond du restaurant. Je ne vois rien que mes mains sur la nappe, mon assiette sale, ma tasse de café, la salière, la poivrière et le noir comme une plaque étale. Et j'entends, pour la première fois précisément, quelqu'un derrière le bar crier:
— Que personne ne bouge!

Et une voix féminine:

— Tu ne te débarrasseras pas de moi comme ça.

Du fond m'arrive:

— T'en fais pas, ça va aller, on va trouver quelque chose. N'aie pas peur mon petit, je suis là.

Je devine la silhouette d'un employé de la maison qui passe avec des chandelles de secours. Il en dépose sur les tables occupées. Arrivé à la mienne, il me rassure:

— Bonsoir, Monsieur Motrin, la panne ne devrait pas durer, voulez-vous boire quelque chose, un calvados par exemple, ce Château d'Aubade que vous aimez, c'est offert par la maison.

Je le remercie et j'accepte le calvados, bien que je devrais me contenter d'une eau minérale. Je ne reconnais pas mon interlocuteur, la lumière de la bougie, juste sous son visage, déforme ses traits en allongeant son front, en étirant son nez, en creusant ses joues, en décolorant son teint. On dirait qu'il est chauve. Il ne lui manque qu'une faux.

L'électricité revient aussi subitement qu'elle a disparu. Un grand tollé déçu s'élève dans le restaurant, les gens se plaignent, ils aimaient bien l'obscurité. Alors, sans doute parce qu'il est tard, parce que c'est bientôt Noël, on accepte d'éteindre les lumières et de ne laisser que l'éclairage ondulant des bougies. Un silence de contentement rend la scène encore plus mystérieuse.

Et puis, on entend une musique. Un quatuor à cordes. Un tango. Une version remodelée de la chanson *Youkali* de Kurt Weil dont on a retiré le texte pour n'en conserver que la mélodie. Il fait noir, la tête me tourne toujours, *L'Express* devient, à cause de l'alcool, du tango, à cause de la nuit, des lueurs vacillantes, des ombres portées, à cause également de bien d'autres choses, l'*Empress of Ireland*, le vieux paquebot s'avançant dans la nuit froide, au large des côtes de Pointe-au-Père. Je crois distinguer, dans la longue salle de bal des premières classes peinte en ocre et bordeaux, des ombres fluides danser, les bras tendus à l'horizontale comme pour fendre la nuit, les profils perchés sur des cous, les dos nus des femmes, la cambrure des reins, la terrible syncope du tango. Le tango *Habanera* lance sa plainte taciturne dans la salle de bal rectangulaire et sombre d'un navire qui s'engouffre dans la mer glacée pendant que dansent ses passagers, minces et plats comme des ombres.

Mauvais capitaine, je me lève et quitte le vaisseau avant les femmes et les enfants. Je ne prends même pas le temps de plier la nappe, je la chiffonne dans un grand bruit de papier qui résonne comme un fracas.

Sur les trottoirs, les passants ont laissé d'étroits sentiers dans la neige. On dirait des veines sales. J'y marche tel un funambule au rythme de *Youkali*, la boule de papier dans ma poche, comme un trésor.

Arrivé chez moi, je sors la boulette de papier de ma poche et je la défroisse sur la table avec ma main avant de la plier soigneusement en seize. Je la range avec les autres à côté de mon ordinateur. Je peux désormais inventer une autre preuve de mon existence.

Postface I
Arte

Après avoir tout préparé avec le technicien du laboratoire de photographie, après avoir travaillé pendant deux mois et effectué tous les tests de couleurs, ces nuances de tons de chair, vu aux formats définitifs, décidé du grain de la trame, un accident stupide s'est produit. J'ai renversé une bouteille d'acide sur mes négatifs. Tout fut perdu, les photographies australiennes désintégrées dans un bouillonnement fumant de celluloïd.

Je n'ai pas pu réaliser l'exposition qui devait accompagner Darlinghurst Heroes, mon dernier livre. Je n'avais pas d'argent pour retourner en Australie refaire de nouvelles photos. Il a fallu que j'imagine un nouveau projet, je ne pouvais pas toujours rester prostré devant la flaque vorace…

Écœuré par le mauvais sort, j'ai renoncé définitivement à la photographie. Je me suis dit: pourquoi ne pas faire un pied de nez au destin et écrire un livre sur le bonheur.

Postface II
Amore

S., mon amoureux, trouvait trop difficile de me suivre dans les changements de mon humeur, toujours obligé de supporter mes angoisses d'artiste. J'étais devenu injuste et ingrat. Il a même dit odieux.

Il m'a laissé le mois dernier. J'étais dévasté.

Pour croire encore à quelque chose, j'ai décidé d'écrire un livre sur le bonheur.

Postface III
Morte

Peu de temps après avoir terminé Darlinghurst Heroes, mon médecin m'a fait venir à son bureau, les résultats d'un examen de routine le laissaient perplexe, il m'a conseillé de passer une batterie de tests.

Quelques semaines plus tard, il a demandé à me revoir. Je me souviens, on était en automne, ma saison préférée. Il m'a annoncé que les résultats étaient positifs, on avait dépisté la présence d'un mal très grave dans mon urine. Il ne fallait pas trop s'inquiéter, m'a-t-il dit, la quantité était minime.

Je crois que c'est à ce moment-là que j'ai eu l'idée d'écrire un livre sur le bonheur.

Youkali, c'est le pays de nos désirs,
Youkali, c'est le bonheur, c'est le plaisir.
Mais c'est un rêve, une folie ;
Il n'y a pas de Youkali.

Roger Fernay, *Youkali : Tango Habanera*

AUTRES OUVRAGES D'ANDRÉ MARTIN

ÉDITIONS HEINRICH FITZBACK
Points de Suspension (Gedankenpunkte), texte et photographies
Crimes passionnels, cinq faits divers photographiques, texte et photographies
Darlinghurst Heroes, texte et photographies
Les vers, texte et photographies

ÉDITIONS INCIDIT
Souvenirs d'Allemagne, texte de A. Martin, gravures de F. Lavoie

ÉDITIONS GRAFF
L'Homme roux, texte et gravures

ÉDITIONS LES HERBES ROUGES
Crimes passionnels, texte et photographies
Darlinghurst Heroes, texte et photographies

LIVRES D'ARTISTE, TIRAGE LIMITÉ (À COMPTE D'AUTEUR)
Au bleu long de la mer, texte et gravures
Le souvenir rougi de l'Olympe, texte et gravures
Cold Fire, texte et photographies
Anagramme I, texte et photographies
From Su to Zanne, texte et photographies
La peste des petits garçons, texte et photographies

Catalogue des Éditions TROIS

Alonzo, Anne-Marie
  La vitesse du regard Autour de quatre tableaux de Louise Robert, essai fiction, 1990.
  Galia qu'elle nommait amour, conte, 1992.
  Geste, fiction, postface de Denise Desautels, 1997. Réédition.
Alonzo, Anne-Marie et Denise Desautels
  Lettres à Cassandre, postface de Louise Dupré, 1994.
Alonzo, Anne-Marie et Alain Laframboise
  French Conversation, poésie, collages, 1986.
Alonzo, Anne-Marie, Denise Desautels et Raymonde April
  Nous en reparlerons sans doute, poésie, photographies, 1986.
Anne Claire
  Le pied de Sappho, conte érotique, 1996.
Antoun, Bernard
  Fragments arbitraires, poésie, 1989.
Auger, Louise
  Ev Anckert, roman, 1994.
Bernard, Denis et André Gunthert
  L'instant rêvé. Albert Londe, préface de Louis Marin, essai, 1993.
Boisvert, Marthe
  Jérémie La Lune, roman, 1995.
Bonin, Linda
  Mezza-Voce, poésie, 1996.
Bosco, Monique
  Babel-Opéra, poésie, 1989.
  Miserere, poésie, 1991.
  Éphémérides, poésie, 1993.
  Lamento, poèmes, 1997.
Bouchard, Lise
  Le Tarot, cartes de la route initiatique   Une géographie du «Connais-toi toi-même», essai, 1994.
Brochu, André
  Les matins nus, le vent, poésie, 1989.

Brossard, Nicole
  La nuit verte du parc Labyrinthe, fiction, 1992.
  La nuit verte du parc Labyrinthe (français, anglais, espagnol),
  fiction, 1992.
Campeau, Sylvain
  Chambres obscures. Photographie et installation, essais, 1995.
  La pesanteur des âmes, poésie, 1995.
Causse, Michèle
  (—) [parenthèses], fiction, 1987.
  À quelle heure est la levée dans le désert?, théâtre, 1989.
  L'interloquée…, essais, 1991.
  Voyages de la Grande Naine en Androssie, fable, 1993.
Choinière, Maryse
  Dans le château de Barbe-Bleue, nouvelles, 1993.
  Histoires de regards à lire les yeux fermés, nouvelles et
  photographies, 1996.
Cixous, Hélène
  La bataille d'Arcachon, conte, 1986.
Collectifs
  La passion du jeu, livre-théâtre, ill., 1989.
  Perdre de vue, essais sur la photographie, ill., 1990.
  Linked Alive (anglais), poésie, 1990.
  Liens (trad. de Linked Alive), poésie, 1990.
  Tombeau de René Payant, essais en histoire de l'art, ill., 1991.
Coppens, Patrick
  Lazare, poésie, avec des gravures de Roland Giguère, 1992.
Côté, Jean-René
  Redécouvrir l'Humain   Une manière nouvelle de se regarder,
  essai, 1994.
Daoust, Jean-Paul
  Du dandysme, poésie, 1991.
Deland, Monique
  Géants dans l'île, poésie, 1994.
DesRochers, Clémence
  J'haï écrire, monologues et dessins, 1986.

Doyon, Carol
   Les histoires générales de l'art. Quelle histoire!, préface de Nicole Dubreuil-Blondin, essai, 1991.
Dugas, Germaine
   germaine dugas chante..., chansons, ill., 1991.
Fournier, Louise
   Les départs souverains, poésie, 1996.
Fournier, Roger
   La danse éternelle, roman, 1991.
Gagnon, Madeleine
   L'instance orpheline, poésie, 1991.
Gaucher-Rosenberger, Georgette
   Océan, reprends-moi, poésie, 1987.
Lacasse, Lise
   La corde au ventre, roman, 1990.
   Instants de vérité, nouvelles, 1991.
   Avant d'oublier, roman, 1992.
Lachaine, France
   La Vierge au serin ou l'intention de plénitude, roman, 1995.
Laframboise, Alain
   Le magasin monumental, essai sur Serge Murphy, bilingue, ill., 1992.
Laframboise, Philippe
   Billets et pensées du soir, poésie, 1992.
Latif-Ghattas, Mona
   Quarante voiles pour un exil, poésie, 1986.
Martin, André
   Chroniques de L'Express: natures mortes, récit et photographies, 1997.
Meigs, Mary
   Femmes dans un paysage, Réflexions sur le tournage de The Company of Strangers, traduit de l'anglais par Marie José Thériault, 1995.
Michelut, Dôre
   Ouroboros (anglais), fiction, 1990.
   A Furlan harvest: an anthology (anglais, italien), poésie, 1994.
   Loyale à la chasse, poésie, 1994.

Miron, Isabelle
Passé sous silence, poésie, 1996.
Merlin, Hélène
L'ordalie, roman, 1992.
Mongeau, France
La danse de Julia, poésie, 1996.
Payant, René
Vedute, essais sur l'art, préface de Louis Marin, 1987, réimp.
1992.
Pellerin, Maryse
Les petites surfaces dures, roman, 1995.
Prévost, Francine
L'éternité rouge, fiction, 1993.
Robert, Dominique
Jeux et portraits, poésie, 1989.
Rule, Jane
Déserts du cœur, roman, 1993.
Sénéchal, Xavière
Vertiges, roman, 1994.
stephens, nathalie
Colette m'entends-tu?, poésie, 1997.
Sylvestre, Anne
anne sylvestre... une sorcière comme les autres, chansons, ill.,
1993.
Tétreau, François
Attentats à la pudeur, roman, 1993.
Théoret, France et Francine Simonin
La fiction de l'ange, poésie, gravures, 1992.
Tremblay, Larry
La place des yeux, poésie, 1989.
Tremblay-Matte, Cécile
*La chanson écrite au féminin   de Madeleine de Verchères à
Mitsou*, essai, ill., 1990.
Tremblay, Sylvie
sylvie tremblay... un fil de lumière, chansons, ill., 1992.

Varin, Claire
    Clarice Lispector   Rencontres brésiliennes, entretiens, 1987.
    Langues de feu, essai sur Clarice Lispector, 1990.
    Profession: Indien, récit, 1996.
Verthuy, Maïr
    Fenêtre sur cour: voyage dans l'œuvre romanesque d'Hélène Parmelin, essai, 1992.
Zumthor, Paul
    Stèles suivi de Avents, poésie, 1986.

Achevé d'imprimer
sur les presses de
MédiaPresse Inc.
Joliette QC
septembre 1997